# LE QUOTIDIEN
# AVEC UN MAÎTRE
# SVAMI PRAJNANPAD

ISBN 2-86316-054-0


18, cité Industrielle 75011 PARIS

Dépôt légal : 1er trimestre 1995

OLIVIER CAMBESSÉDÈS

# LE QUOTIDIEN AVEC UN MAÎTRE

## *SVAMI PRAJNANPAD*

ÉDITIONS ACCARIAS
*L'ORIGINEL*

**DÉJA PARUS (Svâmi Prajnanpad)**

*AUX ÉDITIONS ACCARIAS-L'ORIGINEL*

— *Entretiens avec Svâmi Prajnanpad* par R. Srinivasan.

— *L'expérience de l'unité.* Dialogues avec Svâmi Prajnanpad par Sumongal Prakash.

— *L'art de voir.* Lettres à ses disciples Tome I.

— *Les yeux ouverts.* Lettres à ses disciples Tome II.

— *La vérité du bonheur.* Lettres à ses disciples Tome III.

*AUX ÉDITIONS LA TABLE RONDE*

— *Plusieurs livres d'Arnaud Desjardins sur cet enseignement.*

— *Daniel Roumanoff :*

- *Svâmi Prajnanpad, manque et plénitude* (Tome I).
- *Svâmi Prajnanpad, le quotidien illuminé* (Tome II).
- *Svâmi Prajnanpad ou une synthèse Orient-Occident* (Tome III).
- *Svâmi Prajnanpad : Biographie.*

**La vie quotidienne du gourou**
**est la vie spirituelle de l'élève**

*Çankaracarya*

**Ma vie est mon message**

*Mahatma Gandhi*

## *INTRODUCTION*

*Le présent ouvrage a pour objet de raconter trente-cinq récits de la vie quotidienne de Svâmiji donc de ne parler ni des entretiens avec lui ou* « sittings » *ni des séances d'analyse ou* « lyings » *qu'il donnait à ses élèves.*

*Il y aura cependant trois exceptions à ce principe, à savoir :*

*- la narration de mon premier entretien avec Svâmiji qui est paru dans l'ouvrage de Daniel Roumanoff « Biographie de Svâmi Prajnanpad », car il a modifié ma vie me faisant passer de l'état d'homme anormal à celui d'homme normal. Il inaugure l'ouvrage.*

*- la traduction en français de deux lettres de Svâmiji à deux de ses élèves, la première étant le meilleur résumé à ma connaissance de ce qu'il enseignait et la seconde étant la plus belle lettre d'espoir jamais reçue par moi ; elle terminera l'ouvrage.*

*- enfin une explication des « particularités de Svâmiji » par rapport aux autres gourous indiens, car ce point m'a toujours paru primordial et pourtant très mal connu.*

*Il ne sera donc pas question ici de l'« Enseignement de Svâmiji » stricto sensu mais en filigranne seulement si on fait sienne les phrases de Çankaracarya et du Mahatma Gandhi citées en tête d'ouvrage.*

## Ma première rencontre avec Svâmiji

« Sans doute est-il important, pour mieux comprendre cette première rencontre, de situer l'état intérieur dans lequel j'étais avant de rencontrer Svâmiji. Je ne m'appartenais absolument pas : grande souffrance psychique et abandon de tout contrôle de moi-même malgré mes quarante ans. Pour prendre un exemple, je me saoulais de dix heures du matin jusqu'au soir. J'avais une société d'études de marché que j'avais fermée puisque je n'étais plus capable de répondre à l'existence.

J'étais en psychanalyse mais avec des résultats peu satisfaisants.

J'étais quelqu'un de très malheureux. J'étais fou amoureux d'une jeune fille dont je ne recevais rien en retour, cela ruinait ma vie. Je n'avais aucune liberté, j'étais complètement prisonnier de cette personne. Ma relation avec elle était nulle, je n'étais que dépendant d'elle. Il n'y avait pas d'échange.

Un jour, j'ai rencontré par hasard Arnaud Desjardins, un ami d'enfance. Il m'a demandé « comment vas-tu ? » et je lui ai expliqué ma situation. Il m'a alors très chaleureusement donné rendez-vous pour le soir même. Je dois préciser que j'avais fait entrer Arnaud dans les groupes Gurdjieff et parce que nous avions tous les deux sur le plan de la difficulté à vivre et de la recherche d'une solution une relation très intime. Lors de notre dîner, il m'a parlé de Svâmiji. Il me l'a présenté comme un «gourou psychanalyste». Je lui ai dit qu'étant donné l'état lamentable dans lequel je me trouvais, cela m'intéressait.

Peu de temps après, j'ai reçu une lettre d'Arnaud me racontant le travail qu'il faisait avec Svâmiji. Ma réponse fut un télégramme rédigé en anglais : *« May I join your research in India ? »* (Puis-je participer à ton travail en Inde ?) Il m'a répondu par un autre télégramme que Svâmiji voulait bien me recevoir et que je pouvais venir. J'ai alors envoyé un second télégramme qui disait *« I come flight Pan Am number. 001 in New Delhi the 24 April »* et je suis parti pour Delhi où Arnaud était gentiment venu m'accueillir à l'aéroport.

D'abord, je crois utile de dire qu'Arnaud m'a d'abord conduit auprès de Mâ Ananda Mayee à Bénarès où Arnaud m'avait conduit. L'ashram de Mâ était très paisible, très beau mais il ne me concernait pas. Il y avait une grande ferveur dans cette foule de centaines de visiteurs qui me touchait, mais qui ne me soignait pas.

Je me souviens, je faisais une longue queue pour aller voir Mâ Ananda Mayee en privé puisque les réunions publiques ne me suffisaient pas. Atmananda, la *« devotee »* qui servait d'interprète, est sortie alors de la chambre de Mâ et a dit : « Il y a un Européen qui vient exprès voir Mâ... c'est un homme qui a un grand besoin de la voir... il ne va pas bien. » Alors j'ai levé la main et elle a dit : « Oui c'est vous. » Je n'ai donc pas fait la queue et je suis entré. Comment Mâ a-t-elle deviné mon désarroi ? Je n'en sais rien. Avec Ananda Mayee, il y avait toujours quelque mystère. Cela m'a-t-il paru miraculeux ? Non, pas du tout, pour moi qui étais si seul, si triste et si isolé dans cette foule de gens beaucoup plus heureux que moi, ce ne fut qu'un choc agréable. Je suis entré dans la pièce où se trouvait Ananda Mayee. Je me suis incliné et assis face à elle. Elle m'a alors demandé en bengali « Pourquoi venez-vous voir Mâ? »

— « Parce que je suis malheureux », ai-je répondu. Elle m'a dit alors : « Est-ce que vous savez que Dieu est amour ? », avec un sourire angélique, et elle m'a donné une mandarine.

Je suis resté deux minutes et me suis incliné de nouveau avant de partir. Je suis resté une semaine dans l'ashram merveilleux de Mâ à Bénares, mais, pour moi, cette « rencontre » n'a pas été déterminante, et je dis cela avec un profond respect pour Mâ.

Je suis donc allé chez Svâmiji dans cet état de grand délabrement. En outre, il faisait très chaud et cette chaleur produisait chez moi à l'époque un eczéma suppurant qui me donnait de la fièvre. J'étais donc dans une très mauvaise condition tant psychique que physique. Je suis arrivé après trois jours de route à l'ashram de Svâmiji. C'était un site pour un ermite, plus éventuellement deux visiteurs.

Lors du premier entretien ou *sitting* avec Svâmiji, je lui ai principalement parlé du fait que je n'étais pas adulte et que je devais le devenir. Il m'a dit : « Oui, vous n'êtes pas adulte. » Lors du deuxième *sitting*, je lui ai dit : « Je ne suis pas adulte parce que je suis malheureux, j'ai très mal parce que cela ne marche pas avec une amie. » Il m'a dit à ce moment-là (j'ai les larmes aux yeux qui me reviennent lorsque j'en reparle maintenant) : *« She does not love you any more. It is a fact. »* (Elle ne vous aime plus. C'est un fait.)

Jamais je n'avais connu quelqu'un d'aussi présent à moi que Svâmiji l'était. Jamais je ne me suis senti aussi en confiance avec une tierce personne, c'était la première fois. Je ne sentais plus le nœud dans l'abdomen qui rongeait mes journées depuis deux ans. J'ai eu envie de mettre fin à mes jours dans cet endroit merveilleux, moi qui à Paris passais mon temps à boire pour ne pas me suicider. Je sentais qu'auprès de Svâmiji je pouvais, comme le dit la cantate, « aller sans crainte, tranquille à mon dernier repos ». J'ai osé lui dire le fond de mon malheur, je lui ai dit ce qui était alors ma « vérité assassine ». J'ai exprimé ma sincérité, et c'est, je le crois fermement, ce qui m'a sauvé car j'ai « lâché prise » d'avec ce rempart qui me protégeait du suicide mais ne me guérissait nullement. Je lui ai dit : *« She never loved me. »* (Elle ne m'a jamais aimé.) J'ai fermé les yeux en le disant pour mettre fin à mes jours dans la sérénité.

Svâmiji était si uni à moi que je pouvais tout lui dire et, en même temps, je n'avais plus peur de rien puisqu'il était avec moi dans ce voyage final. Pour la première fois, je ne me défendais plus pour mourir mais au contraire je le désirais. Cela prit la forme de ma descente verticale, les pieds les premiers, dans une piscine. J'avais la sensation de plonger dans l'eau sans aucune résistance, sans aucun mouvement sans aucune récrimination. J'étais calme dans ce sentiment de mourir. Je suis descendu, descendu, quand un moment j'ai touché le fond... de quoi ? je ne savais pas... et je me suis senti remonter. Je n'ai pas compris... je suis remonté. Cela m'a étonné. Cela a duré longtemps et j'ai ouvert les yeux.

J'ai vu alors quelque chose d'immensément beau :

Svâmiji assis dans l'encadrement de la fenêtre (il y avait une fenêtre derrière son dos) et je dirais qu'il était entouré d'une auréole comme les saints le sont dans les tableaux des Primitifs. Il me souriait et me disait lentement : « *Yes..., yes..., yes...* »

J'étais sans voix, le sitting était terminé. J'ai esquissé un sourire, je suis sorti, j'étais calme et j'ai d'abord entendu le bruit dans les feuilles des branches. Je n'avais jamais entendu cela auparavant. Puis j'ai vu ces feuilles, elles étaient toutes différentes, j'ai senti qu'il faisait très chaud mais que cela n'était ni un bien ni un mal. J'ai alors eu l'impression de naître ou, comme on le dit dans les Evangiles de naître à nouveau. Ce n'était plus le pauvre Olivier qui était là, non, plus du tout. C'était l'Olivier d'une nouvelle naissance. J'étais devenu non malheureux.

Concrètement, il y avait une personne qui avait un enfant de moi. Je ne pouvais pas l'épouser car mon cœur n'était pas libre. Mon enfant me touchait beaucoup, j'en rêvais la nuit, il habitait mes rêves éveillés. J'avais l'âge d'être père puisque j'avais quarante ans. En rentrant à Paris, j'ai revu et épousé cette jeune mère, et j'ai pu être le père de cette petite fille. Cela a réussi très vite, magiquement même, mais la magie est secondaire ici, et j'ai enfin pu créer une famille. J'étais libre de mener la vie que j'avais choisie et non celle que mon malheur m'imposait.

Avec ce premier entretien, je suis entré de plein pied dans une relation durable avec Svâmiji, une relation d'élève à maître, et de nombreuses réflexions et de nombreuses conclusions se sont imposées à moi pour être plus libre, c'est-à-dire plus heureux.

Je voudrais, néanmoins, dire rapidement ici ce que

j'ai compris dans les minutes et les jours qui suivirent ce moment privilégié.

— L'état de dépression profonde, dans lequel les larmes et la perte totale de tout désir d'agir sont la seule réponse aux appels de l'existence, n'empêchait pas la spiritualité comme je le croyais auparavant. Cet état dans lequel il n'y a ni art, ni religion, ni argent, ni travail, ni goût pour la nourriture, a pour mérite de porter en lui une immensité, une sensibilité extrême qui permet d'appréhender un peu ce que les bouddhistes appellent *« cûnyata »**, ou le vide. Si l'art, la religion, le travail, l'argent, la bonne chère sont le plus souvent des valeurs sûres, pour les bien-portants, elles ne le sont pas pour les déprimés ni pour Svâmiji, comme j'ai pu le vérifier ultérieurement. Cet état dépressif qui dans mon esprit m'assimilait aux ratés de l'existence, d'une part, était guérissable et d'autre part, m'incitait à être à l'écoute de Svâmiji.

— L'existence d'êtres humains, qui sont l'Ultime de ce que peut devenir un homme, devint pour moi une nouveauté d'une douceur infinie. Svâmiji qui vivait à l'unisson avec son prochain, vivait un bonheur parfait. Cet homme qui avait vécu à l'unisson avec moi m'avait guéri.

Je me suis senti comme un disciple novice du Christ, projeté deux mille ans en arrière sur les bords du lac de Tibériade, ou de Bouddha (Bouddha signifie « le sage, l'éveillé », il est également appelé *Çakya Mouni*, ce qui signifie « le solitaire, le silencieux »), projeté à plus de deux mille ans en arrière sur les bords du Gange, ou encore d'Epictète en Grèce, toujours à peu près à la même époque.

Le « noyau dur » de mon existence qui me conduisait

à intervalles réguliers vers l'immense souffrance et l'envie de mourir a été une fois vaincu. Il m'est donc dorénavant possible de lutter contre lui au lieu d'aller inéluctablement vers la défaite. Quelque chose s'est levé en moi et m'a dit : « Consacre ta vie maintenant à te libérer de ce noyau dur qui est ton tyran, quel que soit le prix à payer. » Ce n'était plus le « Seigneur ayez pitié » que je me répétais après l'avoir appris aux « mouvements » dans les groupes Gurdjieff mais le « Merci " Seigneur " (Svâmi signifie seigneur en sanscrit) de m'enseigner la guerre contre mon tyran », un peu comme Arjuna remercie Krishna de l'encourager à la bataille dans le Mahabharata.

J'étais devenu un adepte de la psychologie, une personne qui ne voulait plus souffrir et qui utilisait Svâmiji comme un psychologue et non comme un gourou qui enseigne la Vérité de l'hindouisme. La dimension de la Liberté avec « L » majuscule, du « Un sans second » des Ecritures indiennes, de mon éventuelle place sur le chemin de la sagesse m'est apparue bien plus tard. Je débordais de reconnaissance et cela m'empêchait de voir le long chemin à parcourir. Comme me l'a dit Svâmiji longtemps après : « La découverte faite par un homme à un moment donné est un empêchement pour la découverte suivante. »

La découverte suivante a été pour moi d'obtenir sans avoir à arracher de moi ce qui était pénible. Pour cela il m'a fallu apprendre à voir, je dirai sans agir. Pendant cette période j'ai beaucoup obtenu de la vie, mais cette réussite extérieure, par essence limitée, n'était pas la sérénité, par essence, illimitée. C'était ce qu'on appelle le succès qui porte en lui son inverse. C'était la dualité apparemment agréable de l'homme normal. Je reviendrai sur ces points si importants pour moi, à savoir que signifie « voir » par opposition à « faire » ou à être le « *doer* ».et que signifie « réussir » par opposition à être pacifié.

* *Svâmiji dans sa lettre à Arnaud du 27 mars 1967 précise que le Bouddha dit « çunyam » et non « çunyata» et que le Vedanta dit « Brahman» ou « Atman » (L'art de Voir, tome I, page 85, Editions L'Originel).*

## La porte de Bourg-la-Reine

Svâmiji était venu à Bourg-la-Reine, près de Paris, et y était resté environ trois mois. Une d'entre nous était chargée de cet ashram parisien et, de plus, chacun des ashramis à notre tour, nous la remplacions c'est-à-dire que nous restions dans la maison pour garder Svâmiji. Il fallait se lever très tôt, vers quatre heures du matin, et surveiller que tout se passe bien. On préparait ses repas et on les lui apportait. Je qualifierais notre activité de ménagère.

La porte palière qui donnait de la maison de Bourg-la-Reine au jardin, était en fer et vitrage et, à cause de la chaleur et de l'âge, s'était lourdement affaissée. Elle était devenue très dure à faire fonctionner et il fallait la tirer violemment à soi pour l'ouvrir quand on était à l'intérieur de la maison.

Comme j'étais debout depuis quatre heures du matin, que je n'avais rien de précis à faire si ce n'est de garder Svâmiji, j'avais acheté la veille une toile émeri et, à cinq heures du matin, je me suis accroupi devant la porte avec ma toile émeri dans les mains. J'ai gratté le bas de la porte en fer pendant près de deux heures jusqu'à ce qu'elle puisse s'ouvrir sans aucun effort.

Le résultat fut à la fin tout à fait satisfaisant.

A midi, quand Svâmiji quitta sa chambre pour aller dans le jardin, je le vis descendre et je m'apprêtais à lui dire « attention ! Svâmiji, j'ai réparé la porte, elle n'est plus dure à tirer, elle s'ouvre dorénavant sans aucun effort ». Mais on ne dérangeait pas Svâmiji facilement, enfin moi je n'avais pas du tout cette audace. Donc, je laisse Svâmiji prendre la porte, me disant dans mon for intérieur :

« Aïe, aïe, aïe ! Svâmiji va tirer fortement la porte à lui. Il va se faire mal, il va recevoir cette lourde porte sur la tête. »

Mais Svâmiji saisit la poignée, ouvre la porte sans effort, sort dans le jardin comme s'il savait qu'elle était dorénavant facile à ouvrir.

J'étais si étonné que lors de mon sitting, je lui demande un petit préalable, avant de m'entretenir avec lui de mon sujet personnel, et je lui dis :

« J'ai eu peur que Svâmiji recoive la porte sur le front, parce qu'elle était auparavant très dure à ouvrir et que maintenant elle ne l'est plus du tout. »

Svâmiji me sourit et me dit :

« Oh oui, oui ! oh oui ! Svâmiji a bien senti, la porte maintenant s'ouvre très facilement. »

« Mais comment se fait-il que Svâmiji n'ait pas tiré la porte, ne l'ait pas reçue sur le front », lui répondis-je.

« Svâmiji a appuyé sur la poignée, il a tiré un peu, il a senti que la porte venait sans effort, et il l'a ouverte », m'a-t-il alors répondu.

« Mais ! Ça fait deux mois peut-être trois mois que Svâmiji la tire chaque jour très fortement », lui ai-je presque lancé à la figure, comme s'il venait de me faire une blague, comme il m'en faisait parfois.

« Oui, oui ! oui, oui ! c'est vrai, dit Svâmiji, mais Svâmiji ne fait rien automatiquement. »

J'ai gardé le silence pendant plusieurs minutes.

J'étais assis par terre devant Svâmiji et j'ai observé ce qu'était un homme qui vit dans le présent, c'est-à-dire qui est un homme Libre. J'ai été envahi par un sentiment de repos et de bien-être. J'ai vu l'immense distance entre moi et Svâmiji, distance que j'avais intérêt à parcourir pour devenir heureux. Certes Svâmiji avait de la mémoire puisqu'il se souvenait que la porte était dure à ouvrir mais cette porte dure pouvait maintenant ne plus l'être. Comme l'ouverture de cette porte toute action est toujours pour lui une action nouvelle. Donc le présent n'est pas marqué inéluctablement par le passé. C'est applicable à tout, à la porte mais également à moi. Je ne suis donc pas quelqu'un qui est lié à un malheur qui restera.

Tout ce qui vient s'en va. Rien du monde d'aujourd'hui n'est permanent. Mon noyau dur, ma maladie n'est donc pas permanente. Grâce à Svâmiji, je vais pouvoir comprendre la vérité du changement. Je ne suis pas marqué d'une façon indélébile par le malheur. Si je l'écoute, si je m'imprègne de ce qu'il est et de ce qu'il dit, je serai moi aussi toujours dans le moment présent.

J'ai senti qu'être dans le moment présent était la seule solution pour sortir le monde du malheur et pour m'en sortir aussi. En effet tous les individus, moi compris, pensons que notre vision du monde extérieur est la réalité et ce simple fait amène tout un chacun à sa ruine. L'un pense que la réalité c'est l'exploitation de l'homme par l'homme qui conduit à l'aliénation et cette pensée a tué des centaines de millions de personnes, l'autre pense qu'il doit être parfait comme sa mère l'était à ses yeux et en tombe malade, un autre enfin pense que son art se rapproche de l'Ultime et n'aboutit à rien.

Ces idéologies, ces pensées sont un leurre, selon ce que j'ai compris, car « voir et savoir ne peuvent être atteints » selon Svâmiji (voir page 35), la seule réalité est d'arriver à vivre dans le présent, à être libre de ce qui a été en élargissant toujours son EGO. Or la Liberté incarnée existe bel et bien, je viens de l'expérimenter et celui qui en est l'incarnation est parfaitement heureux et serein. Cette porte nouvellement facile à ouvrir était une porte qui n'avait pas de passé, pour Svâmiji. Je dois, car j'y ai avantage, être comme Svâmiji et ne pas laisser le passé occuper une place qui ne lui appartient pas, car le passé contraignant n'existe pas pour quelqu'un de Libre. Grâce à ma relation avec Svâmiji, et si je le demande, parce que lui ne me le donnera pas : ça ne se donne pas, ça s'acquiert la Liberté, je peux me libérer de ce qui me pèse, de ce qui me fait mal, de ce qui me torture.

Lors de mon premier entretien, Svâmiji m'avait guéri et j'avais accepté l'augure d'un gourou psychanalyste qui m'avait conduit à ne plus être malheureux. Aujourd'hui j'étais en face d'un homme Libre et parfaitement heureux.

Auparavant, j'étais devenu « relativement parfait » parce qu'heureux momentanément, aujourd'hui je voyais que Svâmiji était « parfait » parce que toujours dans le présent.

La dimension spirituelle pour l'homme normal que j'étais devenu m'est apparue sous forme d'un vertige, d'un vertige agréable.

Svâmiji était toujours mon thérapeute mais il était, en même temps, beaucoup plus. Il me permettait de m'ouvrir à l'immensité d'une nouvelle vie où l'amour non égoïste n'a pas de limite, où la souffrance est abolie, où la félicité est omniprésente. Toute chose qui porte un nom « être dans le présent » ou « être Libre ».

*Qui a vu le présent,*
*a vu tout ce qui a été de toute éternité*
*et tout ce qui sera à l'infini.*
Marc Aurèle
*(Pensées pour moi-même)*

## L’analyse d’un rêve

Un matin en allant à mon sitting, j’étais alors à Ranchi, je demande à Svâmiji si je peux lui parler, avant de commencer mon entretien, d’un rêve que j’ai eu la nuit précédente. Il me dit :

« Oui, si vous voulez, oui, pourquoi pas ? »

« C’est un rêve que je fais très très souvent, je l’ai fait notamment cette nuit, c’est donc un rêve à répétition mais est-ce intéressant de raconter ses rêves ? »

« Oh oui, ça peut être intéressant en effet, ça montre des aspects que l’on se cache, me dit Svâmiji, racontez donc. »

Je raconte donc mon rêve à Svâmiji, je lui dis :

« Voilà, je vais à l’école et je dois prendre pour cela l’autobus, toujours le même, le 92. Au coin de la rue, je vois mon autobus arrêté, prêt à redémarrer. Je cours donc pour l’attraper, je cours, je cours, je cours pour attraper les deux montants et me hisser à l’intérieur de l’autobus, parce que lorsque je suis arrivé à la hauteur de l’autobus, il était déjà en marche, et j’ajoute, ce n’est pas si désagréable puisque je réussis toujours à monter dans cet autobus. Ce n’est pas comme certains rêves qui sont des cauchemars, non, ce rêve souvent répété n’est pas un cauchemar ! »

Svâmiji me dit alors :

« *Quite, all right !* et comment vous faisiez avec vos bras ? » Alors je lui montre que je tends les bras en avant et que je me hisse en m'accrochant aux montants de fer. J'avais les bras tendus pour être plus clair, pour bien expliquer.

Il me dit alors : « Et qu'est-ce que c'est ça ? » Je m'arrête net et j'éclate en sanglots et je dis « maman ! ». Svâmiji dit « *yes*, oui, oui, c'est ça, c'est ça ».

Ce que j'ai compris de cette histoire, outre le fait qu'il s'agisse d'une analyse de rêve tout à fait intéressante pour moi, c'est que j'avais été pour beaucoup dans cette découverte et que, si le gourou est primordial, l'élève l'est aussi.

Pour l'anecdote, je détestais copieusement ma mère et j'avais mis comme condition à Svâmiji, avant de faire des *lyings* avec lui, que l'on ne parle pas de ma mère. Il m'avait souri en me disant : «Vous croyez que l'on peut poser une condition en pareil cas ? » J'étais revenu le lendemain, je m'étais incliné devant lui, je lui avais dit « oh non ! Svâmiji, ma condition est stupide, elle n'est là que pour me permettre de ne pas faire le travail voulu, c'est impensable ».

Eh bien, ma mère était revenue brutalement sur le devant de la scène par l'analyse de ce songe et, de plus, elle ne m'avait pas repoussé puisque le rêve n'était pas désagréable, puisque je réussissais chaque fois à me hisser dans l'autobus. C'est peu après ce récit de mon rêve que je n'ai plus jamais eu la migraine, plus jamais. C'etait une souffrance que j'avais toutes les semaines depuis l'âge de dix ans environ. Or je n'ai plus jamais eu de migraine sauf une fois.

Sur le plan des mots, je n'ai jamais appelé ma mère « maman », c'est un mot qui me faisait venir les larmes aux yeux et qui m'était impossible à dire. Or, devant Svâmiji, ce jour-là, je ne l'ai pas dit en anglais, *« mamy »* ou *« mother »*, mais je l'ai dit en français, « maman », comme si même dans l'expression verbale, il y avait déjà un début de libération.

Sur le plan des idées, disons abstraites, ce récit pose celle du « Faire », c'est à dire qu'ont entrepris ici l'élève et le maître pour élargir l'EGO, ou rapprocher l'élève de son JE ?

De toute évidence Svâmiji n'a pas été très interventionniste ni très actif.

De toute évidence ce que j'ai fait ne s'apparente pas à un effort mais à un « lâcher prise » ou à ce que certains appelent un « non faire ».

Pour moi faire c'est voir, ou plutôt tout tenter pour voir, ce qui EST. Ce comportement est à l'inverse de la volonté ou du courage dans les sens habituellement donnés à ces mots. De nombreux gourous disent à ce sujet « Vous n'êtes pas le *doer* ». Pour moi cette phrase est pleine de pièges, le premier d'entre eux est d'estimer que la Sadhana – le cheminement sur la voie de la sagesse – consiste seulement à aimer et à chanter les louanges de son gourou. Inversement cette phrase est très juste car elle permet de comprendre cette profonde subtilité de l'Hindouisme, à savoir que les désirs étant illimités ils ne peuvent pas être assouvis dans le monde extérieur, par essence limité.

*La Vérité sera réalisée sans délai*
*mais la sâdhanâ est un long processus,*
*exigeant persévérance et doigté*
Chandra Svâmi
*(L'art de la réalisation)*

## Un travail pour moi

Presque tous les ashramis français demandaient à Svâmiji : « Que dois-je faire dans la vie pour obtenir une existence agréable ? » L'un voulait obtenir ceci, l'autre voulait obtenir cela, l'autre encore voulait réussir quelque chose et chacun demandait des conseils à Svâmiji. Leurs sittings étaient souvent composés de conseils pratiques demandés à Svâmiji en ce qui concerne la vie de tous les jours. Cette façon de procéder me paraissait étonnante parce que je n'étais pas venu pour trouver du travail ou pour trouver quelque chose de plus valorisant : j'étais venu pour essayer de me changer pour ne plus souffrir. Mais comme je voyais que Svâmiji aidait concrètement beaucoup chacun d'entre nous (je ne veux pas donner plus de précision) et que ses indications très détaillées avaient des conséquences importantes et bénéfiques, je me suis senti frustré.

Mon travail ne me plaisait pas beaucoup, je travaillais peu parce que j'avais quitté la vie active pour aller chez Svâmiji, mais je travaillais un petit peu néanmoins pour gagner ma vie. Un jour, je me souviens, j'avais la gorge nouée et j'ai dit à Svâmiji à la fin de mon *sitting* : « Svâmiji aide tout le monde sauf moi, je voudrais pouvoir exprimer à Svâmiji mes difficultés de travail, j'aimerais un métier qui m'intéresse ». J'avais même un peu la voix serrée amorçant un début de larmes.

Svâmiji me dit « *Quite all right, all right !* très bien, la prochaine fois, le *sitting* d'Olivier sera consacré à cela, très bien, *why not* ? c'est très facile, surtout qu'Olivier peut faire tellement de choses différentes, ses compétences sont si étendues».

Je suis ému par cette réponse chaleureuse et je rentre dans ma chambre où je réfléchis à ce que j'avais dit à Svâmiji. J'en ai même mal dormi pendant ma sieste et pendant la nuit qui a suivi. Une voix en moi me disait : « Mais ce n'est pas possible, tu n'es pas venu ici pour mieux gagner ta vie, trouver un métier intéressant, non, non, non, Svâmiji est là pour enseigner la Vérité, pour enseigner ce qui a pour toi aujourd'hui un sens, à savoir "ne plus souffrir", tu n'es pas là pour lui demander du boulot. »

Cette voix intérieure avait une telle résonance qu'en arrivant le lendemain, au sitting, je me suis incliné devant Svâmiji, comme nous le faisions chaque fois, et je lui ai dit :

« Svâmiji, j'ai réfléchi et je ne demanderai pas à Svâmiji pourquoi je n'ai pas un travail qui m'intéresse ni ce que je dois faire pour avoir un métier intéressant. Pour moi, Svâmiji est comme un marteau. Un marteau, ça enseigne la vérité. Svâmiji n'est pas un tournevis, parce qu'un tournevis, ça sert à trouver un travail. Se libérer et être heureux, c'est un travail pour marteau. Je n'ai pas besoin de Svâmiji pour trouver le travail qui m'intéresse qui est une œuvre de tournevis. Quand j'ai eu fini cette phrase, Svâmiji m'a souri et m'a dit une chose que je n'avais jamais entendue auparavant : « Ce qu'Olivier dit est agréable au cœur de Svâmiji. »

Après ce *sitting* qui devait parler de ma vie professionnelle, et qui ne l'a pas fait, j'ai beaucoup réfléchi à ce qui s'était passé. J'avais l'impression d'avoir été juste car on ne peut pas banaliser Svâmiji, on ne peut pas l'utiliser pour gagner plus d'argent, être plus célèbre, passer à la télévision ou je ne sais pas quoi d'autre. J'avais donc le sentiment d'avoir été juste, le sentiment d'avoir été en accord avec la situation et j'en retirais une certaine fierté.

J'ai eu alors la vision que le rôle de l'élève était de plus en plus important. Est né en moi, à ce moment-là, cette conviction nouvelle : « J'avais besoin d'un Svâmiji illimité pour un premier entretien parce que j'étais tellement malade que, pour avoir confiance et pour lâcher prise, il fallait que Svâmiji soit un homme Libre, en dehors des aspirations de la vie quotidienne, en dehors des problèmes de tous les jours. Mais maintenant la perfection de Svâmiji devenait secondaire par rapport à ma détermination à vouloir devenir un homme différent. »

En clair, utiliser Svâmiji pour gagner plus d'argent ou être plus célèbre, c'est considérer qu'il n'est pas un gourou mais un fournisseur de mieux-être, comme n'importe quel médecin ou psychologue, et cela m'a semblé stupide.

C'était stupide et c'était profanatoire. Formulant cette phrase, je me suis rendu compte que je n'avais pas à être si fier de moi car, à ma façon, j'étais également profanatoire.

Certes, je ne demandais pas à Svâmiji de m'aider à

être riche, célèbre, ce qui est rusé, mais ce faisant je me complimentais au lieu de tenter d'être plus Libre donc plus heureux. J'étais donc inintelligent et non rusé car je m'arrêtais en chemin en me contentant de n'être que temporairement non malheureux et, de plus, je n'obtenais pas un travail à mon goût.

Car l'intelligence, c'est devenir comme Svâmiji, qui était le plus épanoui et le plus heureux des hommes.

## Etre intelligent, c’est devenir Libre

Un jour où je pensais au chemin qu’avait parcouru Svâmiji, je lui ai dit :

« Mais Svâmiji a compris qu’il valait mieux être heureux que professeur d’université. Il n’a pas de mérite, il a mieux compris que les autres, c’est tout. »

Il m’a répondu : « Svâmiji n’a eu aucun mérite, il a vu que son intérêt bien compris résidait dans le fait d’être Svâmiji et non le professeur untel. »

Ce jour-là, je suis devenu respectueux de cette sensitivité de Svâmiji qui me faisait défaut. Il avait été vraiment clairvoyant, vraiment intelligent et là résidait toute la différence avec moi.

Cette phrase de Svâmiji est toujours présente à mon esprit et quand il m’arrive encore de basculer dans l’état suicidaire, je me dis « voici le prix que tu payes de ne pas saisir l’intérêt bien compris d’être plus Libre ». Et puis j’oublie tout et je m’efforce de plaire à une femme aux yeux verts ou bleus et aux petites narines ou je calcule comment gagner plus.

Globalement s’est imposé à moi le schéma général suivant, à savoir que, bien que tout change et que tout est impermanent, j’obtenais ce que je voulais. Que chacun n'obtient que ce qu'il veut et rien que cela. Réciproquement, ce que nous obtenons est ce que nous voulons. Nous avons attiré ce qui nous arrive. Mais inversement dans la vie de tous les jours, je n'obtiens jamais une satisfaction totale. Le propre de la vie phénoménale est de donner des satisfactions partielles qui ont besoin de se renouveller ou de s'accroître et qui ne procurent jamais le total bonheur.

En disant à Svâmiji qu'il n'avait pas eu de mérite en devenant Libre, je suis entré dans un grand débat intellectuel car il m'a fallu résoudre des points d'interrogation majeurs de ma vie que je laissais en suspens. Ma peine à vivre est-elle réelle ou le seul résultat de mon état anormal aujourd'hui disparu ? Les succès que j'obtenais désormais étaient-ils propres à me donner satisfaction ou serais-je toujours insatisfait en restant dans le champ de l'EGO. ?

Je dirai cependant que dans ma passivité d'aujourd'hui, où je n'ai que peu compris mon intérêt à être Libre, je ne suis quand même plus limité à mon malheur ou à mon bonheur, je suis inscrit dans un processus d'immensité où ce qui relève du phénoménal n'est plus la réalité définitive. Quand j'étais anormal, je ne savais pas demander ce que je voulais et je n'obtenais rien d'agréable. En devenant normal, j'ai obtenu des quantités de satisfactions impensables auparavant. Il m'a fallu longtemps pour voir un peu que ces satisfactions agréables obtenues ne me donnaient cependant pas la profonde satisfaction que je voulais.

*« La vie n'est réelle que lorsque je suis »*
G.I. Gurdjieff

## La lettre de Svâmiji

Pour un homme (désireux de devenir un parfait adulte), il n'y a qu'une seule tâche à effectuer : être indépendant et libre en toutes choses.

Quand cette liberté est totale, c'est la perfection de l'être humain et c'est l'état naturel de la spiritualité. Etre libre de quoi ? Où réside l'enchaînement ?

L'enchaînement, c'est d'être leurré par le monde extérieur de quelque façon que ce soit.

Cette influence continuelle de l'extérieur imprègne l'enfant dès sa naissance de colorations qui sont des conventions ou des valeurs extérieures à lui. Le moi devient attaché à ces conventions, à ces valeurs extérieures et, et ce faisant, il ne cesse de se les approprier et de ne regarder le monde extérieur qu'au travers de ces colorations conventionnelles.

En vérité, que se passe-t-il ?

Vous n'êtes même plus capable de voir, vous êtes prisonnier de croyances. Voir et savoir ne peuvent plus être atteints.

Mais ce qui Est est déjà en vous tandis que vos croyances sont à l'opposé de ce qui Est.

Ainsi vous devenez chaotique, vous vous sentez

**misérable, vous devenez hésitant et effrayé, vous êtes emporté loin du bonheur, de la satisfaction et de la paix.**

**La liberté à l'égard de ces croyances mensongères et faire grandir en vous cette liberté, c'est cela le sens de l'humanité.**

**Qu'est-ce-qui Est ? Qui Suis-je ? Qu'est le monde extérieur pour moi ? Je Suis Quoi ?**

**Connaître ces choses, c'est cela se connaître soi-même.**

**La première action requise est de reconnaître et d'accepter ceci.**

**Je suis ce que je suis ici et maintenant.**

**Cet acte augmente la capacité à voir et à savoir tout ce qui est maintenant et alors ce qui Est peut apparaître.**

**Maintenant, oui maintenant, bien que cela change et que tout change, que rien ne soit stable, bien que la vie soit en perpétuel mouvement toujours suivant son cours.**

**Connais, connais, connais-toi toi-même.**

**Te connaissant toi-même, tu arrives au JE qui est la Liberté.**

**C'est cela le début, le milieu et la fin de la Spiritualité.**

J'ajouterai cette citation d'un stoïcien :

*Le sage seul est citoyen,*
*tous les autres sont en exil.*
*Le sage seul est libre,*
*tous les autres sont esclaves*
*Le sage seul est riche.*

*(Manuel d'Epictète)*

## La répartition des sittings

Nous étions trois ashramis à Moossooree, et non deux comme à l'accoutumée. Or Svâmiji étant assez fatigué, il avait été décidé qu'il ne donnerait que deux entretiens par jour. Il fallait donc placer trois personnes alors qu'il n'y avait que deux entretiens. Svâmiji a dit à chacun d'entre nous : « Comment faut-il répartir les entretiens entre vous trois ? »

Je ne sais pas comment les deux autres ont répondu, peu importe. Je suis allé voir Svâmiji et je lui ai dit : « La solution juste me paraît la solution mathématique : le premier et le deuxième passeront le premier jour ; le deuxième jour, le troisième passera en premier, puis le premier du premier jour sera le deuxième du deuxième jour, et ainsi de suite. Il y aura une permutation circulaire. » Je trouvais mon raisonnement d'une parfaite logique, je m'attendais à être complimenté, j'étais très content de mon intelligence logique et Svâmiji m'a souri et m'a dit :

« *Yes, yes, very nice* (c'est très bien, oui, oui), mais... il y a un mais. »

Je me suis dit : « Tiens ! »

Il m'a dit alors : « Oui, il y a un mais, c'est que ça ne

prend pas en compte si l'un d'entre vous, à un moment donné, a un grand besoin, un besoin brûlant. »

Tout d'un coup, je me suis rendu compte combien une pensée claire ne suffit pas à conduire sa vie, il faut aussi que le cœur y participe. Il n'y avait aucun rejet dans les paroles de Svâmiji, mais il y a eu pour moi une ouverture. Je me suis dit :

Ah, oui c'est parfaitement vrai, d'une part il y a des moments où quelqu'un a une urgence et il doit passer avant l'autre, quand bien même la répartition ne devient plus équitable et d'autre part quand je me sens juste, il y a dans cette affirmation une part de fermeture.

Cette ambivalence est importante car, selon moi, tout le monde doit en même temps se sentir juste et partir de ce sentiment pour agir et en même temps mettre un petit doute dans cette autosatisfaction.

C'est par l'observation des autres que j'ai conforté cette idée qu'en se sentant juste on peut être dans l'erreur. Combien de fois j'ai entendu des intellectuels m'expliquer les raisons des choses, des artistes être certains d'être des génies, des sportifs avoir raison de posséder un corps sain, etc. Merci à tous de dire des bêtises qui m'ont montré les miennes.

En effet, comme eux j'étais certain d'avoir une relation juste. Pour moi il s'agissait d'une relation affective juste mais je ne m'étais pas rendu compte que l'abstraction intellectuelle m'avait entrainé ici à ne pas être juste du tout.

J'ai eu l'impression de m'être réduit. Au lieu d'être un garçon ouvert, je me retranchais dans mon fort, et de là je dictais la pensée logique conduisant à la bonne solution. La réflexion de Svâmiji ne m'a fait aucun mal, il m'a montré que je pouvais être plus vaste en mettant mon sentiment dans mes décisions et que je pouvais dissoudre mon EGO dans une perception plus vaste du monde.

C'est une opération que je tente souvent depuis et qui m'apporte toujours beaucoup. Par exemple, voir qu'un commerçant peut être fatigué, qu'un médecin a le droit de se tromper, qu'un ami peut avoir besoin de me voler, qu'une employée peut me faire une facture trop élevée, tout cela sans que je m'en plaigne. Car il me plaît aussi de continuer à parler à ce commerçant, d'être amical avec ce médecin, d'être lié à cet ami ou à cette employée indélicate.

Je dissous mon ego en intégrant les problèmes de l'autre dans sa relation avec moi. Il m'arrive aussi de ne pas pouvoir le faire, c'est la question de ma sensitivité insuffisante, donc de mon intelligence insuffisante.

Cette histoire a déclenché chez moi un grand intérêt pour ma relation avec autrui. Elle a, de ce fait, conforté chez moi l'importance de l'élève et la diminution du rôle du maître. Svâmiji avait une Vérité qui prendrait chair en moi si je voulais l'intégrer à ma chair. A la limite, si Svâmiji n'était pas un bon gourou pour moi, je pouvais en changer.

L'important était ce que je voulais vraiment obtenir.

C'est un peu paniquant d'être si responsable de son sort et, en même temps, c'est immensément vaste car je ne dépends pas de l'enseignement de l'ashram, je ne dépends que de moi. J'étais venu parce que j'étais très malheureux et maintenant j'avais tous les moyens de devenir Libre, c'est-à-dire heureux. Le voulais-je vraiment ?

Sûrement pas jusqu'à aujourd'hui puisque je ne le

suis, et de loin, pas devenu. Je me suis contenté, je le répète, de la réussite extérieure (argent, notoriété, paternité, travail valorisant) qu'obtient tout être anormal en devenant normal sans me rendre compte vraiment que ces satisfactions limitées par essence ne pouvaient pas satisfaire mon désir d'homme normal d'atteindre l'ultime, par essence illimité.

## Le tableau du peintre

A Bourg-la-Reine, où Svâmiji était venu en séjour de quelques mois, nous étions convenus entre nous que personne, hormis ses élèves, ne viendrait le voir. Il y avait une exception, c'était ma future femme. Et puis, nous avions d'un commun accord accepté l'idée que deux ou trois personnes au plus pourraient venir le voir. Dans ce lot réduit de postulants favorisés, il y avait une femme peintre. Un peintre avec qui nous étions tous très amis, c'était une personne très fine, très dévouée à un autre enseignement et très affirmée dans la vie selon moi. Elle est venue voir Svâmiji et lui a apporté une de ses œuvres.

Ce fut un choc.

Je me suis dit : ah ! attention, observe, observe bien ce qui va se passer. Tu as une émotion concernant ce cadeau, tu vois ce peintre arriver en disant : «Je viens voir la vérité de Svâmiji, moi j'ai la vérité dans ma peinture. D'égale à égal, je vais traiter avec ce gourou. Je vais lui montrer ma vérité, il va me montrer la sienne.»

Ceci me paraissait aberrant de prétention et de fermeture. La prétention, ce n'est pas grave mais la fermeture, ça l'est. Je me suis dit :

« Ce n'est pas possible. Svâmiji va-t-il être sévère, que va-t-il dire ? »

Cela m'intéressait beaucoup. Jamais, il ne me serait venu à l'esprit de montrer à Svâmiji mon livre d'économie.

Donc, j'ai observé l'ensemble du scénario. Mon *sitting* ayant lieu juste après le sien, en rentrant dans la pièce j'ai regardé le tableau que notre amie avait posé sur la commode de Svâmiji et me suis assis. On ne voyait que ce tableau car la chambre de Svâmiji d'allure monacale ne comportait aucune décoration d'aucune sorte. Svâmiji me voyant regarder le tableau m'a dit alors : « Oui, c'est votre amie qui l'a apporté à Svâmiji, c'est elle qui l'a fait, *very nice* ! » Il n'a rien dit de plus.

Pendant deux mois environ, le tableau est resté toujours au même endroit sans être déplacé d'un millimètre, nous nous contentions de l'épousseter.

Quand Svâmiji est parti de France pour rentrer en Inde, il a fait ses paquets, avec l'assistance de l'un d'entre nous. Je suis passé le dernier dans sa chambre pour voir si on n'avait pas oublié quelque chose et j'ai vu que le tableau était toujours au même endroit. Il n'avait toujours pas bougé et Svâmiji ne l'a pas pris avec lui.

J'ai eu le sentiment que c'était comme ça qu'il fallait répondre à ce cadeau. Cette amie est venue pour parler avec Svâmiji. Elle est venue avec un tableau, mais ce tableau équivalait à ce qu'elle avait à dire. C'était ni bien ni mal d'apporter un tableau. Svâmiji a écouté ce qu'elle a dit, a regardé ce qu'elle a fait et il est parti de France sans le tableau.

Cette conduite de Svâmiji m'a pacifié et m'a ouvert des horizons sur mon éternel besoin d'expliquer le monde à ma façon. J'avais besoin de trouver que les peintres, les journalistes, les artistes se croient habités de quelque chose de supérieur et j'avais besoin de leur dire que ça n'est pas supérieur. Depuis lors, je m'arrête quand ce système de réflexions prend place dans ma tête et je m'en porte beaucoup mieux.

Mais je n'étais pas totalement pacifié car je ne comprenais pas comment une femme aussi fine que ce peintre ait pu faire un tel impair. Elle savait qu'un ermite n'a pas d'éléments de décoration dans sa chambre, elle savait que Svâmiji était un homme ayant quitté le monde (*Sanyassin*). Comment un acte aussi incongru avait pu naître dans son esprit et naturellement quel est le pendant chez moi de cet aveuglement.

J'ai réuni toutes les phrases que Svâmiji m'avait dites sur l'art plus celle connue des artistes que je trouvais pertinentes et j'ai réfléchi pour essayer de comprendre. J'ai « contemplé » le sujet comme dit Chandra Svâmi.

Svâmiji m'a dit ceci :

« L'art pur est comme la science pure. »

« Si vous êtes un acteur jouant un roi, soyez complètement le roi. »

« Tagore est un vrai poète, quand il parle de tristesse il ne parle pas uniquement de la sienne mais de la tristesse en général telle qu'il l'a ressent. »

« La finalité d'un peintre c'est de ne plus peindre, Svâmiji chantait tout le temps quand il était jeune et maintenant il ne chante plus. Le besoin de chanter n'existe plus. »

« Les artistes sont presque toujours des enfants gâtés. »

Enfin voici la phrase que je trouve pertinente :

« Il y a création quand l'artiste a disparu. »

C'est cette ensemble de « *formulas* » comme le disait Svâmiji qui m'a réellement pacifié et je voudrais en expliquer le déroulement.

Pour ce qui est de la création qui apparaît quand le *doer* disparait, je dirai qu'un ami très cher, moniteur de ski, m'a longtemps expliqué que le grand ski est celui qui se fait en vous comme s'il s'agissait d'un rythme intérieur. Je l'ai expérimenté moi-même dans mes meilleurs moments de ski et je peux dire que j'ai senti ce qu'était le ski quand le skieur a disparu.

Il en va de même dans la préparation des concours universitaires quand le travail devient sans effort et non pénible. On peut dire alors que l'on est devenu l'étude puisque l'étudiant a disparu. Mais j'ai vu aussi que les artistes parlent beaucoup de leur art, bien plus que les chercheurs ne parlent de leurs travaux ou les sportifs de leurs exploits. J'ai vu leur besoin d'applaudissements, de relations magiques avec le monde, d'irréel dans leur existence. Il y a 100 000 peintres en France et tous s'estiment être parmi les deux ou trois les plus importants. L'énormité du propos ne les effleure pas plus que l'incongruité d'offrir un tableau à Svâmiji n'avait effleuré notre amie. Il n'y a plus de réalité avec eux, il n'existe que des applaudissements à leur endroit ou rien.

Certes il y a des degrés dans la peinture comme il y en a en toutes choses, en ski, en sciences, en théâtre. Mais un enfant gâté s'approprie immédiatement la première place et considère son champ d'application comme le premier de tous.

J'ai vu alors l'emprisonnement de notre amie peintre plus que son incongruité et j'ai vu ce que Svâmiji voulait dire (voir sa lettre page 35) « Vous n'êtes même plus capable de voir, vous êtes prisonnier de croyances. Voir et savoir ne peuvent plus être atteints. ».

J'ai vu aussi qu'un artiste qui se dit un grand créateur soit en musique, soit en théâtre, soit en peinture, est également à plaindre comme je le suis de ne pas pouvoir vivre sans un très joli visage auprès de moi. Ils se débrouillent pour ne pas souffrir mais cela ne veut pas dire qu'ils ne sont pas à plaindre de leur si grand besoin de remparts. Ils savent cacher leur noyau dur meurtrier mais ce faisant ils dorment sous les lauriers qu'ils se sont tissés et dorment mal.

J'ai vu que tous nous avons un trait principal qui est une immense faiblesse, que beaucoup se protègent par un rempart et qu'il ne fallait pas se moquer de ces remparts ridicules car il y avait derrière une immense pauvreté d'esprit, voire une souffrance sous-jacente mettant la vie du protégé en jeu. C'est à chacun de briser son rempart et surement pas à moi de le faire.

Certes je vais plus facilement vers les déprimés que vers ceux qui savent se construire des remparts.

Certes il me paraît étranger de pouvoir en toutes circonstances, comme le font les enfants gâtés, aller peindre seul, aller chanter seul, aller écrire ou lire seul. J'appartiens plus au clan de ceux qui ne peuvent plus rien faire quand l'adversité est trop grande.

Mais l'important est ailleurs, il est de voir que nous sommes tous différents et que j'élargirai mon EGO, donc deviendrai plus heureux, si j'accepte les dires invérifiables des artistes enfants gâtés. Cette femme peintre avait fait un impair heureux car je n'ai été vraiment pacifié que lorsque j'ai fini de la trouver anormalement prétentieuse et surtout quand j'ai vu que son chemin vers la sagesse était très différent du mien. Bref, j'ai pu être à l'unisson avec elle par lacunes interposées.

Plus généralement, mais seulement par intermittence, j'ai vu que nous étions tous prisonniers et qu'à l'intérieur de notre prison nous parlions de liberté, de création, d'art, de connaissance, etc. J'ai vu que j'avais avantage à considérer chacun comme un grand malade emprisonné par son EGO, y compris moi, et qui se débat pour déblayer les nuages empêchant le JE d'apparaître.

Ceci est valable en toutes circonstances mais malheureusement je l'oublie très vite et je retourne vite vers mon refus de la trahison et mon attrait pour les jolis visages.

Merci, chère amie peintre, de m'avoir fait réagir si fortement à votre cadeau.

## Le billet de train

L'ashram de la saison des pluies se trouvait dans une ville qui s'appelle Ranchi. Celui de la saison sèche se trouvait à Channa, près de Calcutta. Donc Svâmiji, deux fois par an, allait par le train de Ranchi à Channa et de Channa à Ranchi. Moi, j'étais à Ranchi au moment du transfert de l'ashram à Channa. Je faisais donc partie du voyage.

Le docteur Pal était un ashrami indien de Ranchi, c'est lui qui avait fait acheter la veille les billets. Nous nous sommes donc tous rendus à la gare à l'heure indiquée, et au moment de montrer les billets pour pénétrer sur le quai, on ne les trouve plus. Le docteur Pal s'énerve, s'agite. Le serviteur qui les avait achetés fouille toutes ses poches. On les cherche partout, tout le monde s'agite et je vois même Svâmiji s'agiter.

Je lui dis : « Bon, cinq billets de Ranchi à Channa, cela coûte quatre cents roupies, on va payer les quatre cents roupies, et puis on n'en parle plus. » Svâmiji ne répond rien, mais l'agitation générale s'amplifie et je répète : « Svâmiji, c'est une affaire de quatre cents roupies, moi je les donne et on n'en parle plus. »

Svâmiji me dit alors avec un peu de fermeté : « Pourquoi mettez-vous votre nez dans cette affaire ? »

« Oh », je me suis dit, « attention ! Svâmiji est en train d'être saisi par une émotion », et pour moi, c'était primordial, parce que si Svâmiji était un homme, certes, extraordinaire, mais pas un *« Sat guru »*, je devais limiter ma confiance en lui.

Quand tout fut réglé et que nous eûmes tous pris place dans le train, Svâmiji était parfaitement calme. Je vais vers lui et je dis :« je voudrais poser une question qui me concerne à Svâmiji. »

*« Quite, all right ! »* me répondit-il.

Je lui dis alors : « J'ai vu Svâmiji se mettre en colère et pour moi, c'est un problème important. Ça remet en cause, non pas ma confiance en Svâmiji mais le fait que ma confiance soit totale. J'ai vu Svâmiji se mettre en colère et j'ai entendu Svâmiji me réprimander parce que j'avais la bonne solution qui était de payer les billets. »

Alors Svâmiji me dit : « Mais Svâmiji ne s'est pas mis en colère contre vous. »

Je lui ai répondu : « Ce n'est pas du tout mon sentiment puisque Svâmiji m'a dit : pourquoi mettez-vous votre nez dans cette affaire. »

Il me répondit : « Oui, c'est vrai que Svâmiji a dit ça. Qu'est-ce-qui s'est passé Olivier ? Qu'Olivier raconte ce qui s'est passé. »

Alors je lui raconte l'affaire. «Oui, c'est vrai, me dit alors Svâmiji, mais vous avez oublié quelque chose.»

— Heu ?

— Oui, me dit Svâmiji, qui était touché ? Qui était affecté ? Qui était douloureux ? Qui était meurtri dans cette affaire ? Était-ce Olivier ? Non ! Qui alors ?

— Le docteur Pal ? lui dis-je.

— Ah, *yes, yes*, le docteur Pal était bouleversé.

— Avez-vous vu à quel point ?

— Oui, j'ai vu.
— Alors, qu'a fait Svâmiji ?
— Je n'ai pas compris, je ne sais pas.
— Svâmiji s'est mis à la place du docteur Pal. Svâmiji savait très bien qu'on pouvait acheter d'autres billets pour quatre cents roupies. Svâmiji savait très bien que vous les donneriez ces quatre cents roupies. Mais vous, vous n'étiez pas ennuyé, lui, le docteur Pal était bouleversé. Alors Svâmiji s'est occupé de l'homme qui était bouleversé. »

Les larmes me montent aux yeux en racontant cette histoire. J'étais dans le train, je n'ai pas voulu m'incliner respectueusement devant Svâmiji pour ne pas attirer l'attention des autres voyageurs. J'ai seulement penché la tête vers lui pour témoigner ma déférence.

« *Yes*, oui, oui, oui », ai-je dit à Svâmiji.

J'ai eu l'impression qu'une ouverture intérieure s'opérait en moi, que j'avais fait taire auparavant. Aujourd'hui encore je cherche à être vigilant, à ne pas me fermer aux autres docteurs Pal. Mon front rougit en en parlant mais le docteur Pal était tout petit de taille, pas très gracieux et souvent distant. Il était mon frère de l'ashram et je lui mettais une note. Je mets toujours des notes, des bonnes aux garçons drôles et aux filles ayant un joli visage et des mauvaises aux autres. Quelle énorme connerie ! Aujourd'hui je cherche à me prendre sur le fait en train de me fermer. Cela donne toujours de très bons résultats. Svâmiji m'avait montré du doigt qu'il y avait une autre considération à prendre en compte, la douleur du docteur Pal. Si on la prenait en compte, à ce moment-là, tout devenait différent. J'étais un petit prétentieux d'avoir parlé des quatre cents roupies, je n'avais pas vu la douleur du docteur Pal qui était un ashrami comme moi, qui était un frère. Je n'avais rien vu parce que j'ai un *« mind »* qui toujours vient m'expliquer que j'ai raison et m'entraîne ailleurs que là où je suis, qui justifie ma conduite.

Il m'apparaît que cette ouverture à l'autre constitue ma dissolution de l'EGO, donc un pas vers le JE. Le très beau commandement du Christ « Tu aimeras ton prochain comme toi-même » est devenu pour moi « Entre en relation de compréhension avec ceux que tu as jusqu'à présent rejetés sous prétexte qu'ils n'avaient pas le physique qui te convient ».

Cela m'est très désagréable à reconnaître, un peu difficile à faire au début, mais c'est très rentable à la longue. De plus, c'est général, c'est à dire que cela s'applique à tous et à toutes les raisons de rejet : couleur de la peau, voix déplaisante, vulgarité, insuffisance de logique ou de vocabulaire, etc.

Je suis ici très loin de la dissolution de mon noyau dur, très loin de l'expérience libératrice racontée par les gourous lors de leur cheminement vers la sagesse. Mais je crois également aux petits « desserrements » de mon EGO.

Car toutes ces bonnes raisons de rejeter autrui font tourner le dos à la Vérité, comme le disait Origène au sujet de l'orgueil. Maintenant, chaque fois que je me penche vers quelqu'un pour l'écouter au lieu de me détouner de lui, j'appelle ce changement d'attitude la leçon du docteur Pal.

## La cuillère

Quand Svâmiji prenait ses repas, la coutume voulait que ceux qui étaient à l'ashram se tiennent en face de lui pendant qu'il déjeunait ou qu'il dînait.

Cela consistait à ne rien faire d'autre qu'être présent quand Svâmiji s'alimentait, nourrissait son corps. Etre présent, voulait dire en fait : voir comment Svâmiji se nourissait.

J'ai remarqué que Svâmiji, parfois, ratait sa bouche avec sa cuillère et qu'il touchait ses dents au lieu de l'introduire droit dans sa bouche.

Cela faisait un bruit, le bruit du contact de la cuillère avec les dents de Svâmiji.

Cela m'a un peu inquiété, et je me suis dit : « Svâmiji est-il souffrant, ou est-il devenu trop vieux ? » Je me suis même demandé à ce moment ce qui dans son enseignement relevait de la Vérité et ce qui relevait de la sénilité. Tout cela devient ici des mots pas très jolis à penser, mais c'était la réalité pour moi à ce moment-là. Réalité du « *mind* » qui colore ce qui est, réalité sordide du « *mind* » qui empêche de voir les choses comme elles sont, qui les explique en les colorant comme on le verra tout à l'heure.

Alors, j'ai demandé à Svâmiji :

« Qu'est-ce qui se passe ? Svâmiji rate sa bouche avec sa cuillère, il touche ses dents au lieu de la rentrer directement dans sa bouche. »

« Ah ! » me dit-il « vous avez remarqué. »

Je dis « oui, d'abord ça fait du bruit et puis je me demande si Svâmiji est malade, si Svâmiji devient vieux, je me demande ce qui se passe ».

Il me dit « ah, eh bien alors, si vous avez remarqué cela, vous avez peut-être remarqué ce qui se passe après. Svâmiji le fait une fois et ensuite remonte ses lunettes sur son nez comme ça », et il me montre qu'il met son doigt sur la monture entre ses deux verres et remonte ses lunettes. Vous avez fait de la physique, vous, je sais, vous connaissez les lois des lentilles. Si la position de l'œil par rapport aux lentilles est modifiée, la vue est à son tour modifiée car l'angle de vision est légèrement changé. »

« Oui, je connais, Svâmiji, oui, j'ai appris cela à l'école. »

« Bon, voyez ce qui se passe, Svâmiji regarde sa nourriture et comme ses lunettes descendent sur son nez, et que la partie du nez qui porte les lunettes est devenue insensible à force de porter ces lunettes, Svâmiji ne sent pas que ses lunettes sont tombées. Alors comme il voit la nourriture un peu différemment et surtout évalue à tort le trajet du plat à la bouche, il rate alors sa bouche. A ce moment-là, il le sent, il l'entend puisque ça fait du bruit sur ses dents, donc il remonte ses lunettes. Vous avez sans doute remarqué qu'après il n'y a plus de bruit. La bouche n'est plus ratée. Svâmiji y rentre tout droit sa cuillère. »

Je dis « mais Svâmiji mange avec cette cuillère depuis très longtemps, depuis trente ou quarante années peut-être, car Svâmiji ne mange plus avec ses mains. Svâmiji sait très bien ne pas rater sa bouche ».

« Oui, mais, Svâmiji ne fait rien automatiquement, Svâmiji voit la nourriture avec les lunettes baissées, donc il effectue le parcours de l'assiette à sa bouche conformément à ce qu'il voit, donc avec un angle un peu différent de la réalité et il rate un peu sa bouche, il touche ses dents. »

« Oh, oh », me suis-je dit. Quelle jolie banalité que ma question sur l'âge de Svâmiji ! éventuellement sur sa sénilité, et quelle jolie réponse ! « Svâmiji ne fait rien automatiquement. »

J'ai vu grâce à cette expérience que, pour Svâmiji, moi aussi je n'avais pas de passé. J'étais toujours neuf. J'étais dans l'impermanent comme l'était ma peine à vivre. Ce qui est permanent, c'est le JE, c'est-à-dire Svâmiji qui est entièrement heureux. La nourriture qu'il prenait tous les jours avec cette cuillère depuis trente ou quarante ans (il avait soixante-cinq ans à peu près à l'époque) n'empêchait pas la prochaine cuillerée d'être neuve puisqu'elle pouvait toucher ses dents et non pas rentrer dans sa bouche. Et moi, j'étais neuf pour lui à tout instant. C'est-à-dire que je pouvais devenir un autre Olivier différent de celui malheureux, lors de sa première visite, et différent aussi de celui d'aujourd'hui qui réussissait dans la vie mais sans sérénité. J'ai été saisi par «l'illimité» que j'observais et qui faisait résonnance avec celle qui m'habitait. Jusqu'alors l'illimité de mes désirs trouvait une solution peu satisfaisante dans la course effrénée vers la réussite. Devant Svâmiji ce-jour là j'ai entrevu ce que pouvait être en moi un embryon de sérénité, c'est-à-dire un sentiment de n'avoir plus rien à attendre du monde extérieur. Je me suis rendu compte que je pouvais là enfin naître à nouveau parce que je serais un nouvel enfant, un nouvel être humain. C'était la même aventure que celle de la porte de Bourg-la-Reine, mais quelques années plus tard.

Sur un plan beaucoup plus simple, quand Svâmiji nous a quitté, Mamy, la mère de l'ashram, m'a donné cette cuillère et je l'ai toujours. Elle est devant moi sur mon bureau dans le petit pot des gommes, des taille-crayons et des stylos. Ce n'est pas une relique, il n'y a pas de relique pour Svâmiji mais elle est devant moi et quand je prends un crayon, quand je prends mon stylo, elle est là au milieu d'eux.

C'est une anecdote, mais elle montre aussi l'autre type de relation que nous avions avec Svâmiji. C'était aussi simple que le crayon ou la cuillère et c'était aussi vaste que la Liberté.

Je me suis souvent posé cette question à laquelle je n'ai jamais donné de réponse très satisfaisante : « Pourquoi ai-je eu la chance d'être l'élève de cet homme Libre ? » Ma meilleure réponse est que cette question est sans intérêt et cela me paraît assez juste. En revanche, je me suis toujours dit que ma présence à l'ashram ne m'obligeait à rien, que je n'avais aucune obligation à devenir sage et cela me paraît très juste.

Il y a une remarque de Svâmiji qui répond également à cette question. Il m'a dit un jour « Olivier, Svâmiji a eu tellement de difficultés avec le manque d'argent de ses élèves indiens qu'il a laissé venir à lui des élèves européens qui n'avaient pas les mêmes difficultés. Mais ces élèves européens avaient des problèmes psychologiques bien plus importants, et ce n'était pas mieux. »

Plus tard il m'a dit « Freud était un voyant, il est normal qu'il ait vécu en Europe car les maladies dont il s'occupait y étaient plus marquées ».

## Svâmiji rêve-t-il ?

L'idée m'est venue un jour, alors que j'étais à l'ashram : « Mais un homme Libre ne doit pas rêver. » Alors j'ai demandé à Svâmiji : « Svâmiji rêve-t-il ? »

Il m'a souri et il a fait une espèce de grimace comme s'il voulait signifier « oui et non, non et oui », comme quoi il n'y avait pas de réponse vraiment précise et il a approché son pouce de son index de la main droite près d'un œil indiquant un espace tout petit et m'a dit : « Ça peut-être comme ça, mais on peut dire que non. » Se ravisant, il m'a dit. : « Non Svâmiji ne rêve pas, et puis non ! Svâmiji ne rêve pas. »

Il a répondu à ma question comme si je lui avais demandé « Svâmiji met-il de l'argent de côté ? ». Il m'aurait répondu qu'il avait bien 10 F dans sa poche, mais que ce n'était pas, à proprement parler, de l'argent de côté.

Je me suis dit : « Voilà encore une preuve du fait que Svâmiji est Libre, il ne refoule rien puisque, si j'en crois ce que disent les psychanalystes, le rêve est l'expression de ce que l'on a refoulé dans la journée précédente, donc Svâmiji ne refoule rien. »

Je ne connais pas l'importance que peut avoir cette

anecdote pour le lecteur non féru de psychologie. Pour moi, ce fut poétique, car je n'avais pas besoin de preuve à ce moment-là. Le repos de Svâmiji était donc total. Sa nuit était réellement une nuit de sommeil sans rêve. J'ai senti le repos de cet homme, il était à l'unisson avec tout dans le repos. Il n'avait pas de tension. Il ne faisait qu'un avec toute chose.

Il était l'incarnation du bonheur et non du plaisir. Pour moi, cela avait un sens très concret. J'ai senti combien les Indiens, et notamment moi qui étais un peu indien, avions de la chance de pouvoir entrer en contact direct avec un homme Libre. Nous pouvions lui parler et obtenir une réponse. Il était ce que l'on dit du Christ dans les Evangiles, la Vérité faite chair.

Je pense que c'est ce qui arrivait dans la Grèce antique quand un élève allait voir Socrate ou Epictète : il avait en face de lui un maître qui était la Vérité faite chair.

Autrement dit, j'ai connu au XX^e^ siècle un maître stoïcien, j'ai connu Epictète ou Marc Aurèle en chair et en os dans les années 1970.

Mais l'erreur consisterait à conclure que, si l'on n'est pas en Inde, on est condamné à rester malheureux ou à se contenter d'aller à l'église ou chez le psychanalyste. C'est une erreur fondamentale, selon moi, car le gourou n'est qu'une partie de la solution et que cette partie est remplaçable. Remplaçable car des hommes Libres n'ont pas eu de *« sat guru »* (de gourou Libre), c'est l'exemple de Svâmiji qui a eu notamment une fourmi et un bouc comme gourou.

Remplaçable parce que des textes existent, des gourous secondaires existent (mon ami professeur de ski, un psychanalyste, un ami pasteur qui s'occupe d'enfants anormaux), qui sont plus pédagogues qu'une fourmi et un bouc.

Remplaçable a contrario, car même avec un *« sat guru »* les élèves souvent ne progressent que peu. J'en suis un exemple comme le sont, à des degrés différents, les autres élèves indiens et français de Svâmiji. Ils progressent peu car ils préfèrent *« sex and success »* à la Liberté ou, formulé plus aimablement, ils se satisfont de la perfection relative qu'ils ont atteinte et ne veulent pas la perfection absolue. Ils préfèrent croire en l'art et en leur art, au talent et à leur talent, à la science et à leur apport à ladite science, à leur intelligence et surtout au niveau satisfaisant où ils en sont arrivés.

Bref, un homme peut très bien devenir Libre en France, en Europe ou en Amérique si cet homme le désire avant toute chose. Svâmiji me l'a dit expressément. L'idée selon laquelle en France, en Europe ou en Amérique tout a été détruit, que l'on ne peut plus y emprunter ce chemin est l'idée d'un lâche et d'un faible d'esprit qui justifie sa médiocrité en la reportant sur la société tout entière. C'est dans les cafés, à la Coupole, au Flore, à Paris, aux Trois Garçons, à Aix que l'on obtient un brevet de culture en disant ces sornettes mais ce brevet-là est une majestueuse tromperie.

## Histoire sans parole

Regardez la photographie de la couverture du livre, on y voit la main gauche de Svâmiji complètement détendue au bout de son bras qui ne marque également aucune crispation. En marchant dans la rue à Mossooree, son bras droit tient son bâton et son bras gauche est immobile, comme s'il était atteint de paralysie.

Cette façon de faire était toujours la même, Svâmiji ne bougeait jamais les parties de son corps qui n'avaient rien à exprimer : sa main, sa jambe, son front, ses épaules. Je l'ai expérimenté cent fois.

Histoire similaire : chaque après-midi, à Channa, Svâmiji faisait une demi-heure de marche à pied pour entretenir son corps. Pendant cette demi-heure, il ne faisait que marcher, cela faisait deux cents mètres à vive allure sur un chemin bordant l'ashram, un demi-tour et les mêmes deux cents mètres en sens inverse. Pendant sa marche, Svâmiji regardait droit devant lui et en fin de parcours il faisait demi-tour à la même vitesse que pendant le trajet aller. On aurait dit un lion en cage ou un nageur dans une piscine.

M. Gurdjieff raconte dans un de ses livres que l'homme ordinaire gaspille une énergie considérable en tendant des muscles qui n'en ont pas besoin. Svâmiji n'était donc pas un homme ordinaire.

Je ne connais pas l'intérêt pour le lecteur de ces histoires sans parole ; elles m'ont beaucoup frappé et continuent à le faire. Elles indiquent, plus que les autres histoires, que la vie ordinaire du gourou montre la vie spirituelle à l'élève et, corollairement, que la vie ordinaire du gourou permet à l'élève de savoir si la confiance qu'il lui accorde doit être totale ou non.

Personnellement, c'est la vie quotidienne de Svâmiji, bien plus que ses réponses à mes questions, lors de mes entretiens avec lui, qui m'ont convaincu qu'il était un homme Libre, un *« sat guru »*. Je dois ajouter que je n'ai rencontré cette liberté totale que chez Svâmiji. Cette dernière remarque fera sans doute rugir beaucoup de ceux qui ont un autre gourou. Pour ma part je comprends très bien que l'on accepte pour gourou un homme qui ne soit pas Libre, dans la mesure où on limite la confiance qu'on lui accorde, car le plus important sur le chemin de la sagesse c'est l'élève et non le maître.

## Rencontrer M. Gurdjieff

Avant que Svâmiji ne vienne à Paris, nous avons beaucoup parlé de son voyage et subrepticement il m'a dit : « Tiens, Olivier, bien que Svâmiji ne prenne jamais d'initiative, il aurait demandé à Olivier, si M. Gurdjieff était encore vivant, s'il pourrait le rencontrer. » En effet, j'avais donné à Svâmiji les livres de M. Gurdjieff en anglais et il connaissait donc le contenu de ces ouvrages. C'était totalement inhabituel pour moi. Jamais Svâmiji ne disait « si », jamais il n'utilisait « le conditionnel ».

Je me suis senti envahi par un sentiment tout à fait nouveau pour moi, parce que lorsque l'on quitte un enseignement, ce qui était mon cas, j'avais quitté l'enseignement de M. Gurdjieff, et que l'on en rejoint un autre, il est d'usage de s'opposer au précédent. Moi ce n'était pas mon cas et je me trouvais de ce fait un peu scout, un peu béni-oui-oui. J'avais reçu dans le travail de M. Gurdjieff des choses considérables et j'avais encore beaucoup de respect pour ce que j'avais reçu. Tout d'un coup, il m'apparaissait que Svâmiji reconnaissait la qualité de ce que j'avais entendu. Je ne peux pas le dire clairement. Le lecteur le comprendra comme il le voudra.

Je ne sais pas pourquoi rencontrer M. Gurdjieff l'intéressait, je ne sais même pas si quelque chose était intéressant pour Svâmiji mais j'ai senti qu'il n'y avait pas de division profonde entre Svâmiji et ce qu'il avait lu de M. Gurdjieff, et je ne dirais pas cela d'autres gourous dont Svâmiji m'avait parlé au préalable avec circonspection. Je ne suis pas clair et je n'arrive pas à l'être, mais est-ce important ? En tout cas, cela m'a convaincu que c'était auprès de Svâmiji que j'avais ma place et nulle part ailleurs.

Si je devais un jour m'ouvrir à autre chose qu'à ma perfection relative pour entreprendre la voie de la sagesse, c'était auprès de Svâmiji que je le ferais.

Un jour, un moine Jain dans une conférence a demandé à son audience : « Vous devez savoir si votre gourou est bien celui qui vous convient. » Cette question est pour moi parfaitement juste et je me la suis appliquée plusieurs fois (exemple du billet de train) et pourtant j'ai répondu un peu rapidement à ce moine Jain, que je trouvais remarquable : « Ce n'est pas une question car lorsque l'on a trouvé son gourou cela devient une évidence. »

Le respect de Svâmiji pour M. Gurdjieff avait encore conforté mon évidence.

## L'œuf à la coque du brahmane

Un des ashramis indiens voulait se libérer de ses habitudes ancestrales et voulait manger de la protéine animale.

« Mon impossibilité de manger de la viande du fait que je sois végétarien est inacceptable. Je veux essayer d'en manger », dit-il donc à Svâmiji.

Svâmiji lui répondit : « Très bien, Svâmiji vous fera lui-même demain un œuf à la coque. »

Le disciple indien s'installa là où l'on déjeunait à Ranchi. Svâmiji apporta l'œuf à la coque qu'il avait fait acheter le matin et qu'il avait fait cuire lui-même. Il lui dit alors : « Vous coupez la tête de l'œuf, vous trempez votre cuillère dedans et vous mangez. C'est très facile. » Mais au moment où le brahmane a voulu manger son œuf, il s'est évanoui. Svâmiji l'a remis d'aplomb et lui a dit : « Ah, c'est difficile. »

« Je vais réessayer», dit l'élève.

«Vous réessayerez demain, il y aura un autre œuf si vous le désirez, car celui-ci est froid maintenant ! » répondit Svâmiji.

« Bon, je réessayerai demain, je vais me préparer davantage. » Et c'est ainsi que le lendemain Svâmiji refit cuire un œuf à la coque pour son élève.

La deuxième opération fut identique à la première. Le brahmane coupa son œuf, trempa sa cuillère dedans et au moment où il la porta à sa bouche, il retomba de nouveau dans les pommes.

Je me suis dit : « Quelle intensité cet homme avait, quel désir de se libérer de cette habitude ancestrale de végétarien l'habitait. » Cela m'a paru être d'une grande beauté dans cet ashram si poétique, cet homme si volontairement axé vers le désir d'être libre de son habitude et non fier d'être un brahmane et végétarien. Car le but, ce n'est pas d'être végétarien mais d'être Libre. Je me suis dit : « Ah, c'est ça la souffrance volontaire, dont parle M. Gurdjieff, c'est ça vouloir comprendre et en payer le prix. »

Cette notion du prix de ma liberté m'est apparue comme quelque chose d'immense et comme quelque chose de possible en même temps. Je ne connais pas ce brahmane en question, mais je lui suis reconnaissant de son exemple. Cela conforte aussi mon impression selon laquelle le gourou est secondaire. Svâmiji n'était que le cuisinier dans l'affaire. L'ashrami était celui qui faisait le boulot le plus difficile. C'est lui qui prenait des risques pour sa santé psychique, c'est lui qui faisait l'effort.

Me sont revenus à l'esprit ces mots de Mounir Afez, gourou égyptien. En me citant les premiers maîtres chrétiens, je crois que c'est saint Augustin, il m'a dit : « Olivier, il faut s'efforcer inutilement à la Grâce. » Je comprends cette phrase ainsi : sans effort, il n'y a pas de compréhension, sans Grâce il n'y a pas non plus de Libération et enfin l'effort est inutile ce qui signifie qu'il s'agit d'un effort, différent de celui habituel, que j'appelle « se voir » ou « lâcher prise ». Cette simple phrase résumait tant de discussions, prétendument subtiles, mais en fait oiseuses, que j'avais eues avec tant de personnes en mal d'abstraction : quelle est la part de l'effort et la part de la Grâce dans l'illumination ? L'effort ne consolide-t-il pas l'Ego et n'empêche-t-il pas la naissance du JE. Que veut dire MOI puisque je ne me connais pas ? Le vrai gourou est celui qui vous amène à l'illumination gratuitement et d'un seul coup, etc.

Toutes ces formes de pensées me sont apparues tout d'un coup comme réglées par le simple fait du « efforcez-vous inutilement à la Grâce ! » Pour moi, grâce à cet exemple de l'œuf et, par ricochet, puisque cet exemple m'a rappelé les propos de Mounir Afez et de M. Gurdjieff, je n'ai plus pu philosopher sur le Moi, sur l'Ego, sur l'Effort, sur l'Illumination. J'ai avançé un peu sur le chemin de la sagesse car j'en ai balayé les scories mentales qui m'encombraient.

Il m'est même apparu que ce brahmane avait échoué, s'était évanoui, parce qu'il avait justement voulu « faire » au lieu de « voir » qu'« il était prisonnier de croyances » (voir page 35 la lettre de Svâmiji) prisonnier des « colorations », comme Svâmiji disait souvent, c'est-à-dire des jugements de valeur, qu'il donnait aux œufs lui avaient été imposées. Il n'avait pas vu, il n'avait pas lâché prise. Parallèlement il m'a convaincu que la Liberté se paye souvent par la «souffrance volontaire.» Merci l'inconnu.

## L'attaque cardiaque de Svâmiji

C'était à Mossooree, il était sept heures du matin et je venais de me lever. Roland, un ashrami français qui était également à l'ashram, me dit : « Tu sais, Svâmiji ne va pas bien, viens il faut que tu le vois. » Je cours donc dans la chambre de Svâmiji et je le vois allongé sur son lit. Il me dit : « Olivier, si vous voulez garder le corps de Svâmiji, il faut faire quelque chose. » Je n'ai pas réfléchi longtemps, j'ai couru à la ville à pied pour y chercher le médecin. Il est venu sur le champ, a diagnostiqué une crise cardiaque et a conseillé de descendre Svâmiji à Delhi car Mossooree qui était à mille six cents mètres d'altitude ne lui convenait pas. On a donc descendu tout de suite Svâmiji dans la plaine, jusqu'à Delhi.

Svâmiji, en état de quitter son corps — c'est-à-dire de mourir pour employer un terme que tout le monde comprend — le signalait par ces simples mots : « Si vous voulez garder le corps de Svâmiji, il faut faire quelque chose. » Il n'avait pris aucune initiative pour que l'on me réveille à cinq heures du matin, voire avant, puisque son malaise cardiaque avait débuté plus de deux heures avant mon lever. Chez Svâmiji, il n'y avait pas d'émotion, il n'y avait pas de pulsion de vie, il n'y avait pas d'initiative personnelle pour ne pas mourir. Il y avait seulement cette phrase puisqu'il savait que je voulais qu'il vive, « si vous voulez garder le corps de Svâmiji, il faut faire quelque chose ».

J'ai vu là encore le degré de Liberté totale de Svâmi Prajnanpad. Il me plaît de l'écrire comme il est plaisant de narrer une très jolie histoire mettant en scène des personnes remarquables. Je n'avais plus besoin d'être convaincu, mon souhait ici est de témoigner de ce qu'est la Liberté chez un être humain, de témoigner qu'un homme Libre et vivant, un « *Jivan Mukta* » comme on le dit en Inde, a bel et bien existé dans le monde en 1968, puisque cette maladie de Svâmiji a eu lieu à cette date.

*Je me propose maintenant de cesser momentanément les récits de la vie quotidienne de Svâmi Prajnanpad pour exprimer ce qui m'est apparu comme les « particularités » de Svâmiji. Je reprendrai ensuite ces récits par celui de « La lettre de ma mère ».*

## Les particularités de Svâmiji

Elles me sont apparues excessivement nombreuses en même temps que convaincantes de la sincérité et de la qualité de son enseignement.

Il m'est apparu de plus que ces particularités pouvaient servir à tous de critère pour le choix d'un gourou et pour éliminer de son choix ceux qui font un commerce douteux de la Connaissance.

*Le train de vie de Svâmiji était profondément modeste.*

Il habitait un ashram isolé au milieu des rizières à un kilomètre du village indien et à 500 mètres des habitations des adivasis ou aborigènes. Il n'y avait aucune route pour y accéder. Pour aller chercher le car qui passait à trois kilomètres environ, il fallait traverser une rivière les pieds dans l'eau et la valise sur la tête, en s'y prenant à plusieurs reprises si l'eau grimpait au-dessus de la ceinture. La case de Svâmiji était en boue séchée, avec un toit de chaume, elle n'avait ni porte, ni eau courante, ni électricité, ni bibliothèque, ni table, ni chaise mais un sommier sans matelas et une moustiquaire. Il n'y avait à l'ashram aucune œuvre d'art, ancienne ou moderne, aucun tableau, aucune sculpture, aucune image d'aucune sorte, aucune musique, aucune manifestation culturelle telle que danse ou récital de poèmes. Il n'y avait aucune cuisine recherchée, aucun plat préféré, aucun vêtement dit élégant. Le sol de l'ashram était régulièrement assaini non par des produits achetés dans le commerce mais par un mélange d'eau et de purin de vache. Svâmiji s'asseyait accroupi sur une natte et écrivait sur ses genoux. Il était aidé par un serviteur (du nom de Mongra) et non loin de sa case se trouvaient plusieurs cases identiques, deux pour les élèves éventuels, une pour la cuisine et une autre pour les réserves de nourriture et d'alcool à brûler. Il se levait bien avant le soleil et se couchait après la tombée du soir. Il s'éclairait quelques heures par jour avec une lampe à pétrole.

Sa nourriture végétarienne était d'une très grande frugalité et ses dépenses étaient minimes : pas de voiture, pas de radio, pas de téléphone, pas de réfrigérateur, pas de bicyclette, pas d'animaux domestiques. Il ne fumait pas, ne buvait ni thé, ni café, ni alcool. Il avalait toutes les trois heures environ un grand gobelet d'eau chaude car son système digestif âbimé lors de son ascése dans les Himalayas le lui commandait. Il mettait de l'eau chaude dans son estomac mais ne buvait pas, comme il me l'a dit une fois.

Sa garde-robe était limitée à trois ou quatre kurta de coton identiques de couleur safran, deux paires de sandales à semelle de bois et courroies de caoutchouc, deux chandails et des châles de coton. L'excellence dans la vie phénoménale telle que la visite fréquente de grands pandits (hommes cultivés), de grands astrologues, de grands musiciens voire de grands de ce monde dont tant de gourous indiens s'entourent et que tant de disciples considèrent comme l'expression de l'étape ultime atteinte par leur maître était totalement absente. En revanche, il fallait, la nuit tombée, se munir d'une lampe à pétrole pour éloigner de nous les serpents et accepter que des dizaines de rats grimpent sur le bambou qui supportait le toit de chaume de nos cases pour aller rejoindre leur nid au dessus de nos têtes.

Son hygiène corporelle était très grande, il se coupait les ongles au ras des doigts du pied et de la main, se faisait tailler les cheveux au maximum à un centimètre du crâne, il se lavait minutieusement les mains et les dents après chaque repas et faisait tous les jours une longue et complète toilette.

Le nombre de ses élèves, et non pas celui de ses disciples puisqu'il disait ne pas en avoir, était excessivement limité. Nous n'étions pas plus de deux en même temps auprès de lui. Ses ressources étaient constituées du loyer de son lopin de terre héritée d'un de ses maîtres qui résidait à l'ashram Channa avant de mourir, et de ce que lui donnaient ses élèves. Mais il n'acceptait nos dons que s'il estimait, avec notre accord, que nous avions appris quelque chose, sinon il les refusait. Plus tard, il a quitté ce coin isolé pendant la saison des pluies pour s'installer dans une maison en « dur » à Ranchi, à quelque 500 kilomètres de là. Parallèlement, sa femme (son frère l'avait obligé à se marier avant qu'il ne soit ermite) habitait dorénavant à l'ashram dans une case séparée.

Un exemple illustrera la simplicité de ses manières. Un jour où le serviteur Mongra avait quitté l'ashram sans que l'on sache pourquoi, c'est Svâmiji qui m'a fait la cuisine.

*La situation culturelle et sociale de Svâmiji n'était jamais mise en avant.*

C'était un Sannyasin, c'est-à-dire un homme qui avait quitté le monde, ce qu'en Occident on appelle un moine ou un ermite. Ainsi, bien que Brahmane de naissance et couvert de diplômes universitaires (il était l'équivalent d'un professeur agrégé de physique), il n'avait aucune vie sociale tant du fait de sa caste (il ne respectait aucune règle des castes indiennes) que de celui de ses diplômes. Il ne suivait pas l'actualité scientifique dans les revues spécialisées mais, en revanche, il lisait quotidiennement le journal en anglais.

Il n'avait aucune vie sexuelle ni même aucune préférence pour l'un ou l'autre de ses élèves. Svâmiji aimait chacun d'entre nous d'une façon égale, il n'y avait aucune hiérarchie dans son affection. En ce sens, le fait que le disciple Jean soit appelé le disciple bien aimé du Christ, donc différencié des autres au plan affectif, paraît incongru quand on reporte cette distinction dans le contexte de l'ashram.

Bien que Svâmiji fût végétarien, il nous a proposé parfois de la protéine animale, notamment des œufs, si nous en avions envie ou si nous en ressentions le besoin. Quand Svâmiji a quitté Bourg-la-Reine, il a trinqué avec nous et a bu une lampée de champagne devant nous.

*La filiation de l'enseignement de Svâmiji m'est toujours restée indiscernable.*

Svâmiji enseignait le Vedanta à des gens du XXe siècle, c'est pour moi la meilleure définition que je puisse donner de son enseignement et je ne la trouve pourtant pas très bonne. Cela signifiait concrètement qu'il citait très souvent les écritures anciennes de l'Inde et nous montrait comment elles s'appliquaient à nous présentement dans ce que nous venions de lui dire. Les deux phrases si souvent prononcées par Svâmiji en sanscrit sont « *Sarvam anityam* », soit « Tout est impermanent », et « *Nitya anitya viveka, atma anatma viveka* », soit « discerner le permanent de l'impermanent, discerner le JE de l'Ego ». Ces deux phrases, traduites par moi, ont pour origine Çankaracarya, gourou du VIIe ou VIIIe siècle après Jésus-Christ. Sans doute la seconde n'est-elle pas très bien traduite mais peu importe ici, l'important est de montrer que les réponses de Svâmiji à ses élèves étaient imprégnées des Ecritures anciennes de l'Inde.

Pour mieux définir l'enseignement de Svâmiji, je souligne ci-après en quoi il se différencie, selon moi, de celui des autres gourous ou des psychanalystes ou des pasteurs. Cette différence entre « l'enseignement» de Svâmiji et celui des autres conducteurs de conscience (ce mot d'enseignement n'est pas approprié car Svâmiji m'a souvent répété qu'il ne proposait pas un enseignement mais qu'il répondait aux questions qu'on lui posait) est difficile à préciser, aussi ai-je décidé de procéder par comparaison bien que ce soit un mode très mineur d'explication. La seule ressemblance culturelle que j'ai personnellement entrevue avec ce que l'Occident connaît est celle avec les philosophes stoïciens grecs et romains : Epictète (le *Manuel*), Socrate (les *Dialogues* de Platon), Marc Aurèle (*Pensées pour moi-même*). Les écoles stoïciennes s'étendent en Grèce et à Rome sur plusieurs siècles, il ne s'est donc pas agi d'un phénomène passager.

— *Il n'y avait pas de vénération pour Svâmiji*, de « *Bhakti* », pour utiliser le mot sanscrit. Pas de larme quand il relatait par exemple une histoire triste de son enfance, pas de rire quand il donnait une réponse astucieuse. Le climat si doux, si agréable et si enfantin des réunions chez Ma Ananda Mayee ou chez Padmana Menon était totalement absent.

— *Il n'y avait aucun sentiment de construire une société nouvelle*, qui aurait interdit de parler aux personnes étrangères à l'ashram de ce que nous avions compris. Cet ésotérisme que j'avais rencontré dans les groupes Gurdjieff était totalement absent.

— *Il n'y avait aucun miracle*, dans le sens d'une action de Svâmiji conduisant à un résultat inattendu. Un malade guéri, un mort ressuscité, des objets transformés en or, une rivière asséchée sur le champ, une pluie tant attendue se mettant à tomber.

Ce genre de récit fréquent dans les Evangiles ou chez Saï Baba, gourou célèbre qui sortait devant ses disciples une avalanche de cendres d'un seul petit pot, n'existait pas. En revanche, des événements étonnants et merveilleux arrivaient souvent aux disciples, par exemple à moi lors de mon premier entretien ou encore à une ashrami indienne. Elle était née sans vagin et ne se consolait pas de ne jamais avoir d'enfants. Elle avait souffert mille morts chez des chirurgiens indiens, et surtout dans son cœur, de son infirmité. Svâmiji passa des heures à l'écouter, à la consoler, à lui redonner goût à la vie. Naguère accablée de malheur, elle était devenue normale, une jeune fille agréable.

Un jour, sa sœur mariée mourut et son mari, comme il est de coutume en Inde, demanda à notre agréable ashrami si elle voulait bien l'épouser puisqu'elle était jeune fille. Elle en parla à Svâmiji. Il lui répondit que c'était une excellente proposition, qu'elle aurait trois enfants à élever, que cet homme avait toutes les qualités requises mais il y avait une condition : lui dire la vérité, c'est-à-dire qu'il ne pourrait jamais avoir d'acte sexuel avec elle. Elle le fit, Svâmiji fit de même après. Le mari accepta la condition et le mariage eut lieu. Le ménage est très harmonieux, elle élève trois enfants et est heureuse, elle rit sans cesse. Elle aime ses « dada français » (ses frères français). Oui, ce genre de miracle était très fréquent à l'ashram. Que Svâmiji en soit ici remercié.

— *Il n'y avait aucun sentiment de devoir à accomplir* comme dans la religion protestante voire même dans les groupes Gurdjieff. Je dirais même que Svâmiji ne prenait aucune initiative nous concernant. Il répondait à nos questions en nous montrant d'une part que nous étions notre question, mais également beaucoup plus, comme pour nous relier avec l'Absolu, et d'autre part que nous avions avantage à sortir de cet attachement que sous-tendait notre question. Il n'y avait aucune obligation, aucun devoir à accomplir mais il s'agissait seulement de voir où était notre intérêt bien compris.

— *Il n'y avait aucune idolâtrie, aucune relique* d'aucune sorte, la porte de la chambre de Svâmiji n'existait pas à Channa et n'était jamais fermée à Ranchi et l'on pouvait y pénétrer quand bon nous semblait. Quand il changea de résidence pendant la saison des pluies, une ashrami indienne voulut aller revoir l'ancien ashram. Svâmiji lui demanda pourquoi puisqu'il n'y avait plus rien là-bas, l'ashram n'existait plus. De même, quand Svâmiji quitta ce monde, Mamy me donna la cuillère en argent dont il s'était servi tous les jours pendant des dizaines d'années. Elle n'était en rien une relique.

Ou encore quand un ashrami venait photographier Svâmiji, il ne posait jamais, il ne se préparait en rien.

Chez aucun gourou que j'ai rencontré, je n'ai vu une telle absence de cérémonial. Au contraire, il y avait chez l'un des photos du maître en bonne place, celles que celui-ci préférait et non telles autres. Chez un autre sa chambre était préservée au point que des disciples couchaient la nuit devant la porte. Chez un autre encore, son quartier de résidence était inaccessible aux disciples qui étaient cantonnés dans les salles communes.

— *Il n'y avait aucune référence à Dieu*, à son fils venu sur terre, au péché, au pardon, à la vie éternelle... Toutes notions que j'avais connues lors de mon instruction religieuse protestante. Il était question ici et maintenant de dissoudre nos nœuds, de guérir ce qui nous empêchait d'être Libre, d'atteindre le Permanent, c'est-à-dire le JE. Il était question de dissoudre l'Ego au point d'arriver à être « un » avec tout, à nous découvrir nous-mêmes donc à découvrir l'Absolu qui était en nous qui est toujours heureux et qui est à l'opposé de notre vie phénoménale d'aujourd'hui (voir sa lettre à un ashrami indien à la page 35).

— *Il y avait peu de référence à une quelconque idée abstraite sans qu'elle ne renvoie à du vécu.* Ainsi, il y avait peu de discours sur l'opposition entre le Phénoménal et l'Absolu, aucune référence à l'Illumination obtenue par le maître, aucun récit sur la connaissance de l'Ultime ou que sais-je encore ? S'il n'y avait pas de question, si nous étions heureux, nous étions alors « parfait pour le moment » et il n'y avait rien à ajouter. En revanche, si nous ne l'étions pas, Svâmiji nous montrait, à l'instar de l'enseignement des Vedanta, que notre dualité, c'est-à-dire le fait d'être dans l'impermanent, était la cause de ce malheur ou de cette absence de sérénité.

Svâmiji ne faisait jamais de *talks* sur un sujet, causeries devant un groupe de disciples, mais parlait à chacun d'entre eux en privé. Et on pourrait dire que l'on ne parlait que de notre mal de vivre, ou de notre difficulté à comprendre l'importance de n'être plus dans la dualité. Svâmiji, dans le peu d'abstraction qu'il utilisait, l'exprimait en sanscrit en citant par exemple *« Sarvam anityam »* ou « tout est impermanent » dans le phénoménal. Il m'avait donné un *« mantra »* (cette formule que le gourou donne à un élève) : *« Olivier accept yourself and be happy. »*

J'avais droit de temps en temps – m'était-ce personnel, je n'en sais rien – à des discours abstraits en sanscrit qui étaient toujours là pour me faire comprendre l'inverse de ce sur quoi je m'appuyais. Je sortais de ces entretiens philosophiques comme groggy mais pourtant épanoui, comme si j'étais passé à l'étage du dessus. Pour être clair, je raisonnerai sur un exemple : Svâmiji m'apprenait à obtenir ce que je voulais si ça ne nuisait ni à moi, ni aux autres. Après trois semaines ou un mois où j'avais bien acquis cette notion d'obtenir, j'avais droit à son inverse, à savoir que l'on n'obtient en fait aucune satisfaction définitive. Svâmiji avait pris l'exemple de l'acte sexuel pour passer du plus, plus, plus à en fait l'insatisfaction de n'avoir pas assez obtenu.

Tout désir est infini, c'est son *dharma* (sa nature propre) comme le *dharma* du feu est de brûler. Il est normal de rêver de posséder toujours plus, mais le monde extérieur est un monde *« finite »*, limité. Comment un monde limité peut-il remplir, satisfaire un désir illimité ? « Finité, infinité *sarvam anityam* » ces abstractions venaient toujours s'appliquer à mon cas.

— *Il y avait en revanche une référence à la psychologie moderne*, soit la psychothérapie fondée sur l'échange où chacun est assis l'un en face de l'autre, soit la psychanalyse où le patient est allongé et l'analyste assis derrière lui. La différence, et elle est de taille, est que ce travail d'analyse était préparatoire, il ne durait pas des années. Il était inscrit dans une recherche de la Vérité, il était fait pour permettre de « voir ce qui est » quand il y avait chez nous trop de déformation émotionnelle. Tout transfert était dissous par Svâmiji avant même d'apparaître et toute découverte par nous était raccordée à l'enseignement traditionnel indien. J'ai entendu dire qu'une ashrami avait manifesté l'intention de faire l'amour avec lui mais je n'ai aucune preuve de ce lamentable projet.

— *Il y avait avec Svâmiji un guide personnel pour chaque élève.* Il répondait à nos questions en s'occupant de nous en privé, donc nous étions peu nombreux auprès de lui. Il nous posait fréquemment la question *« How are you ? Are you at ease ? If not, why not ? »*

Il m'a montré par exemple que j'avais beaucoup de peine à lâcher prise car j'avais stocké des émotions qui s'étaient cristallisées dans mon inconscient et m'a proposé de recourir à une psychanalyse du type, mais différent néanmoins, du « cri primal » qu'il a lui-même dirigé pendant des heures et des heures.

Ce soin apporté à la vie quotidienne, ou EGO ou vie phénoménale, de chacun d'entre nous pour nous apprendre à balayer les nuages qui obscurcissent notre JE, donc à passer graduellement de l'impermanent au permanent, est rare chez les gourous. Je l'ai trouvé très partiellement dans les groupes Gurdjieff ou chez Rajneesh mais aucunement chez Ma Ananda Mayee pour ne prendre qu'un exemple.

En Inde, il m'est apparu que l'action du Gourou est celle que procure le *« darshan »*, c'est-à-dire le fait de voir le gourou. L'élève est censé se hisser vers l'Ultime incarné par le gourou, par cette vue de l'Absolu, c'est ce qui m'est apparu être le cas chez Ma Ananda Mayee ou chez Padmana Menon. Mais je ne parle pas là d'expérience vécue.

La différence est si considérable que je voudrais la dire en termes de moqueries réciproques car je ne trouve pas d'autres modes d'expression.

Les élèves de Svâmiji, me semble-t-il, considèrent que l'enseignement par *darshan* est réservé à ceux qui ne demandent rien d'autre qu'un brevet de spiritualité pour continuer à vivre comme avant car ils se trouvent déjà très bien.

Les élèves des autres maîtres considèrent, me semble-t-il également, que l'enseignement par plongée dans la vie phénoménale est aussi illusoire que la psychologie moderne et ne mérite qu'un sourire condescendant.

Il est vrai qu'autour de tous les gourous indiens auxquels j'ai rendu visite se dégageait une atmosphère de sérénité d'une douceur exquise. Le *darshan* chez Ma

Ananda Mayee était un bain de bonheur pour ne prendre qu'un exemple et l'idée selon laquelle ce *darshan* à lui tout seul peut vous conduire droit à l'Ultime, à un début de preuve dans l'état de béatitude dans lequel se trouve plongé le disciple. Pour moi il s'agit d'un début de preuve et ce n'est pas suffisant.

Auprès de Svâmiji c'était tout différent tant il y avait d'heures à réfléchir, à essayer de voir, à confronter nos expériences à ce que nous avions entendu lors de nos *sittings*. Nous étions tous accaparés par notre action personnelle vers la Liberté. Il y avait l'exception du salut du soir où j'ai retrouvé l'atmosphère du *darshan* auprès de Ma Ananda Mayee.

Auprès de Svâmiji, il y avait des pans entiers de la journée dans l'harmonie : la chaleur appartenait à l'air sans me révolter, les cris de Mamy si insolites dans l'ashram me rappelaient sa présence qui m'enchantait notamment quand elle m'invitait à boire du thé *« Olivier tu mi tcha kabe »*. Un jour où j'allais à mon *sitting* dans la case de Svâmiji, j'en ai vu sortir Denise Desjardins comme aérienne, habitée du sourire de l'ange au cadran de la cathédrale de Chartres. Je n'ai pas de talent d'écrivain, aussi ai-je supprimé de ce livre deux récits d'harmonie adorable. Le premier a trait à une ashrami indienne qui m'avait invité avec Mamy dans un salon de thé à Ranchi. Le second a trait au cadeau d'un paquet de cigarettes modernes que Mongra m'avait offert, lui qui ne fumait que des bidis pour raison d'économie.

## La lettre de ma mère

Ma mère m'écrivait chaque année le 10 août, jour de mon anniversaire, et je ne pouvais pas ouvrir sa lettre.

J'hésite un peu à le dire, mais j'en avais des haut-le-cœur.

Donc, je reçois la lettre de ma mère à l'ashram.

J'essaye de me calmer, de ne pas me laisser aller à la révolte. J'y parviens et je raconte à Svâmiji que cette lettre de ma mère me fait un effet très violent chaque année. Il me parle de mon père que j'adorais, de ma vie et me conseille d'examiner les conséquences de mon opposition à ma mère. C'était très pénible et Svâmiji, bien qu'il ne parlât pas français, me demanda de lui montrer la lettre en question. Il ne regarda de la lettre que son écriture, puis il me la rendit. Il me dit alors en anglais : *« She has never been a child »* (elle n'a jamais été un enfant).

Je ris en écrivant cela mais mon sentiment n'était pas à la rigolade à l'époque. Un voile s'est déchiré en moi. J'ai compris ma mère. Je l'ai excusée, j'ai vu que moi non plus je n'avais jamais été un enfant heureux. Ne la rejetant plus, j'ai vu plus tard qu'elle était jolie : des yeux verts et de petites narines comme cette jeune personne qui était la cause de ma première visite chez Svâmiji. Je ne ris plus du tout en écrivant cela, sans doute les psychiatres connaissent par cœur ce genre de récit, moi je le vis et je retiens les larmes de mon désarroi.

Un an plus tard, j'étais dans la maison de famille où ma mère passait ses vacances avec une de mes sœurs aînées. Je lui ai dit :

« Tu sais, j'ai montré à Svâmiji, la lettre que tu m'avais adressée l'an dernier pour mon anniversaire. »

« Qu'a-t-il dit ? qu'a-t-il dit ? » me demanda-t-elle avec force.

« Svâmiji ne parle pas français, il n'a vu que ton écriture », lui répondis-je.

« Oui, mais qu'a-t-il dit ? »

« Il a regardé ton écriture et il a dit, je le dis en anglais (parce que ma mère parlait anglais), *"she has never been a child"*. » Et ma mère est saisie non pas de sanglots mais d'émotion.

« C'est vrai, oui, c'est vrai. C'est vrai, oui, c'est vrai » dit-elle une dizaine de fois.

Ma sœur, qui était là, dit alors : « Maman, arrête-toi, arrête-toi. »

Je prends le bras de ma sœur et lui dis : « Non, laisse-la s'exprimer, laisse-la s'exprimer. »

« Oui, c'est vrai, oui, c'est vrai, c'est vrai», disait ma mère mais de moins en moins fort. Il y avait là, selon moi, le début de la guérison éventuelle de ma mère, pour peu qu'elle soit intéressée par ce travail que nous faisions avec Svâmiji.

Ayant donc parlé de ma mère à Svâmiji, j'ai découvert un sentiment de similitude, de compréhension à son égard donc d'amour incontestable. Je ne pouvais plus haïr ma mère comme avant, je ne pouvais plus la rejeter puisqu'elle endurait la même souffrance que la mienne.

J'ai fait ce jour-là l'expérience de « voir », c'est-à-dire que j'ai quitté momentanément mes références habituelles pour regarder avec un œil neuf. C'était la même expérience qu'avec notre amie peintre à Bourg-la-Reine ou celle du billet de train mais en plus harmonieux et surtout avec plus de conséquence pour ma vie.

Svâmiji a dit à un de ses disciples (voir sa lettre page 35) : « Vous n'êtes plus capable de voir, vous êtes prisonnier de croyances. Voir et savoir ne peuvent plus être atteints. » J'ai eu l'impression ce jour-là que j'avais ouvert un œil au-delà de mes croyances passées.

## Mamy

J'étais venu de France pour assister à la cérémonie dédiée à la mémoire de Svâmiji et je suis arrivé en Inde après que son corps eut quitté l'ashram, parce que ça faisait déjà quelques jours que l'événement s'était produit.

J'aimais beaucoup ma Mamy, la femme de Svâmiji. J'avais avec elle une relation très harmonieuse. Je crois pouvoir dire que les autres ashramis pensaient différemment de moi : ils me disaient qu'elle fatiguait Svâmiji, qu'elle montait trop souvent le déranger, qu'elle criait fort dans sa chambre et qu'elle semblait se plaindre sans cesse de choses dont Svâmiji n'aurait pas dû se mêler. Il y avait plutôt chez eux une réticence à l'endroit de Mamy. Il y avait, me semblait-il, le sentiment qu'elle dérangeait la spiritualité de l'ashram et que sa présence n'était que la conséquence du fâcheux désir du frère de Svâmiji qui avait voulu ce mariage. La preuve, semblaient-ils dire, qu'elle était en dehors de la spiritualité de l'ashram est qu'elle n'avait ni *sitting* ni *lying* avec Svâmiji.

Au cours de cette cérémonie, la coutume au Bengale est que les femmes chantent des chansons en pleurant. Je me souviens que la petite fille de Svâmiji disait :

« Non, je ne peux pas chanter, je suis trop triste » et elle pleurait, pleurait tandis que sa mère lui disait : « Mais si, chante, chante » alors elle répondait : « Mais je ne peux pas. » Elle chantait quand même une chanson, s'arrêtait à mi-couplet pour pleurer et reprenait encore. Il y avait tout un cérémonial de larmes de la part des femmes. Les hommes restaient à l'écart de ce spectacle en adoptant une attitude particulière de souffrance retenue. Les ashramis avaient une conduite tout à fait différente. Ils étaient tranquilles et quelque peu hiératiques. Svâmiji était parti là où il devait partir, il n'y avait pas lieu de se plaindre, nous avions reçu tout ce que nous avions à recevoir. J'ai remarqué alors quelque chose qui m'a beaucoup touché, à savoir que Mamy se comportait exactement comme une ashrami et pas du tout comme une Bengalie de la famille. Elle ne pleurait pas, elle ne chantait pas, alors qu'elle aimait beaucoup chanter et qu'elle chantait très bien. Elle se tenait droite sans émotion extérieure et dans une parfaite tranquillité intérieure.

Combien vaste fut cette leçon ! Mamy était donc une élève de Svâmiji comme chacun d'entre nous, et l'enseignement qu'elle recevait était celui de sa vie quotidienne et non celui de ses *sittings*. Elle était comme nous et pourtant elle ne montrait extérieurement aucun penchant pour la spiritualité. Elle me racontait en bengali combien elle avait souffert de son mari et brandissait son poing en direction de la case de Svâmiji, en me racontant ses malheurs de jeune mariée. Elle en voulait à ce mauvais mari de Yogeshwar mais son dernier adieu à Svâmiji m'a montré qu'il y a plusieurs voies sur le chemin de la sagesse, la sienne n'étant sans doute pas la plus mauvaise.

Mon explication de la relation de Mamy avec Svâmiji n'engage que moi, la voici :

Le noyau dur de Mamy, son trait principal très douloureux est qu'elle n'avait pas eu de mari assidu et surtout pas de fils. Elle était immensément heureuse de recevoir l'arrivée de cinq fils en la personne de ces cinq Français que nous étions.

Mais deux d'entre eux trouvaient étouffantes leur propre mère et rejetaient cette nouvelle maman. Ce rejet était d'une telle violence que je me refuse à raconter ces histoires que m'a raconté Mamy en pleurant sauf de dire que l'un d'entre nous lui aurait dit un jour : « Mamy est un tigre qui mangerait du buffalo » soit l'équivalent pour une Française d'une phrase indisible du type « Mamy est une ogresse qui dévorerait ses propres enfants ».

Les trois autres étaient indifférents et, selon moi, un peu condescendants pour cette cuisinière hors pair : il la traitait comme une « *mother* » modèle mais qui ne devait pas quitter ses fourneaux.

N'aimant pas ma mère légale, j'ai adopté Mamy tout de suite, j'ai appris le bengali pour pouvoir l'écouter et lui parler.

Bref, Mamy, selon moi, travaillait à chaud sur son trait principal immensément douloureux. Quand Svâmiji a quitté ce monde je suis allé la voir à Calcutta plusieurs fois. Elle était heureuse, m'a-t-il semblé, d'être devenue une veuve normale avec sa fille par le sang près d'elle.

Voici mon explication. Si elle est vraie, on comprend dès lors que Mamy ait effectué un périple sur la voie de la sagesse autrement plus riche que ceux des ashramis français qui aimaient la vie spirituelle et se trouvaient « épatants » d'avoir un gourou sans avoir à toucher à leur trait principal par essence très douloureux.

Tout cela n'engage que moi, je n'ai aucune autorité pour porter un jugement de ce type et je ne dis pas qu'il est fondé. C'est le sentiment de bonheur permanent de certains de mes frères et sœurs de l'ashram qui souvent m'a fait m'interroger sur leur combat contre leur noyau dur. Certes à l'ashram je ne souffrais pas comme à Paris, mais soit je me battais contre mes attachements à en être malade de fatigue, soit je m'ennuyais considérablement.

*« Amar ma, tomar chille balo bashi. »* Ce n'est peut-être pas du bengali parfait mais cela ne fait rien. Cela veut dire « A ma mamy, ton fils qui t'aime », c'est mon adieu personnel à ma Mamy aujourd'hui décédée.

## Le rôle de l'homme Libre sur terre

Pourquoi un jour Svâmiji, alors que j'arrivais sur sa terrasse à Ranchi où se trouvait déjà Minati Prakash, une ashrami indienne, s'est-il adressé à nous deux pour nous dire *« Jivanmukta verifies and justifies nature. There will be always a Jivanmukta on earth. Nature will create the conditions for it because it needs it »*. Ce qui signifie en français : « Un homme Libre vérifie et justifie la nature. Il y aura toujours un homme Libre sur terre. La nature créera les conditions pour qu'il en soit ainsi car la nature en a besoin. »

Si un autre ashrami n'avait pas été présent avec moi et ne m'avait pas parlé de ce que nous avions entendu, « Olivier, as-tu déjà entendu ce que nous venons d'entendre, moi c'est la première fois», je n'aurais pas mentionné cet événement, je l'aurais mis sur le compte de mon invention. En effet, Svâmiji ne parlait jamais, à ma connaissance, des hommes ayant atteint l'Ultime, il ne parlait que de notre situation. Svâmiji ne faisait jamais ni pronostic ni promesse.

En revanche, je cite cet événement majeur et je le commenterai peu. Je suis content de pouvoir aujourd'hui témoigner de ce que j'ai entendu car pour moi cela m'a donné un sentiment agréable d'ordre planétaire et de la juste place de l'homme dans cette organisation. L'homme n'avait pas à se révolter contre les vicissitudes de la vie car elles étaient là pour lui montrer qu'il se trompe de chemin s'il en souffre. Bref, ces vicissitudes sont là pour le guider à devenir ce pourquoi la nature l'a fait. Il y a bien d'autres façons d'interpréter ces quelques phrases de Svâmiji sur le rôle de l'homme Libre sur terre, celles ci-dessus ont été les premières pour moi. Svâmiji m'avait dit une autre fois qu'un homme Libre (un *Jivanmukta*) peut très bien exister en Europe, en Amérique latine ou en Afrique. Ceci me paraît la meilleure réponse à l'affirmation mille fois entendue : « Mais en France, tout cela est impossible du fait de l'athéisme, du cartésianisme, de la méchanceté des gens, de la pourriture généralisée. » La liste de ces sottises hautement méditées est illimitée.

## L’aspirine

À Mossooree, Svâmiji était venu nous voir dans notre maison parce qu’une personne y était alitée.

Il avait donc monté l’escalier de notre maison qui était à côté de la sienne et quand il est reparti, je l’ai accompagné. Je l’ai regardé descendre les marches, et j’ai vu qu’il avait de la peine à le faire.

Je lui ai dit : « Svâmiji a mal, je crois que Svâmiji a quelque chose comme de l’arthrite. »

Il me dit : « Oui, il y a une sensation très forte quand Svâmiji marche et surtout quand il descend des marches d’escalier. »

Je l’ai accompagné chez lui et lui ai dit : « Svâmiji veut-il prendre une aspirine ? J’en ai une, je vais la chercher. »

Je vais donc chercher une aspirine et je l’apporte à Svâmiji.

Il me dit alors : « Vous savez, Svâmiji ne prend jamais d’aspirine, il y a très très longtemps qu’il n’en a pas pris. »

« Mais quand Svâmiji a mal, il peut prendre une aspirine, ça enlève la douleur physique », lui dis-je.

« Oui, mais la douleur physique, c’est une sensation », fut sa réponse.

« Oui, mais une sensation de peine, de douleur, c'est très pénible », fut alors la mienne.

« C'est une sensation différente, me dit il, si vous dites que c'est douloureux, que c'est inacceptable, ça devient une interprétation mentale. Ainsi, par exemple, quand il fait très très chaud, acceptez la grande chaleur au lieu de vous révolter, et, de ce fait, la chaleur extrême n'est plus aussi forte. »

Cette petite anecdote eut des effets profonds sur moi car j'étais très douillet, c'est-à-dire très enfermé dans le refus du mal physique, et à présent je le suis moins, grâce à cette réponse.

La Liberté pour moi ne signifie pas ne pas avoir mal mais ne pas être submergé par le fait d'avoir mal. A mon niveau, cette anecdote m'a rapproché de la Liberté parce que là où je ne pouvais que disparaître devant l'adversité, je commençais à entrer en relation avec elle. Chaque fois maintenant que je passe de l'état « d'être écrasé par un événement » à l'état « d'entrer en relation avec lui », j'appelle cela, à mon niveau, devenir plus Libre. Ce fut le cas pour mon noyau dur lors de mon premier sitting, ce le fut ce jour-là pour la douleur physique.

Dans cette aventure avec la douleur physique, Arnaud Desjardins m'a beaucoup aidé en me disant un jour :

« Mais non Olivier, Svâmiji, quand il avait mal, laissait la douleur s'exprimer en expirant fortement de l'air la bouche largement ouverte. »

Aujourd'hui encore je réfléchis à cette réflexion qui n'entre pas en contradiction avec celle que je faisais mienne auparavant, à savoir que pour Svâmiji la douleur est uniquement une sensation.

J'ai compris que je pouvais entrer dans le problème du mal physique au lieu de le rejeter et de le qualifier d'a-humain.

Mon chemin de liberté passait par la relation avec la souffrance physique au lieu d'être révolté et terrassé par elle. Une femme m'a également beaucoup aidé car elle m'a montré que le grand bonheur physique s'exprime dans le cri et qu'il devient alors vivable et non plus écrasant. Je m'éloigne, quelque peu de la vocation de ce livre mais j'ajoute rapidement ceci.

Maintenant, j'expire de l'air fortement par la bouche ouverte et sans bruit quand j'ai des crampes douloureuses ou des plaisirs intimes intenses. Ce faisant, il m'est apparu que : ce qui est si bon et ce qui est si douloureux sont tous les deux acceptables et non insurmontables, de plus ils sont impermanents.

Il y a encore bien des choses avec lesquelles j'aurais avantage à entrer en relation et non les rejeter, par exemple la peur du vide ou l'horreur de la trahison des êtres chers, mais je n'arrive à rien dans ces domaines. Je n'ai pas une sensitivité suffisante pour sortir du désarroi que me procure la peur du vide ou ce que j'appelle la traîtrise des êtres chers.

L'histoire de l'aspirine m'a ouvert des horizons dont j'aurais bien été incapable de prévoir fût-ce les prémices, comme si l'endroit où l'ont est le plus douloureux et le plus fermé est celui qui est le plus riche en découvertes.

*Epaphrodite jouait avec son serviteur*
*Epictète fort rudement.*
*Epictète était boiteux et lui dit plusieurs*
*fois « Vous allez me casser la jambe ».*
*Epaphrodite continua et l'incident arriva.*
*Epictète dit alors « Je vous l'avais bien dit*
*que vous me casseriez la jambe ».*

*Manuel d'Epictète*

*Je vais raconter maintenant les deux histoires vécues où une ashrami, puis moi, n'avons pas voulu écouter ce que nous a répondu Svâmiji.*

## L'élève qui s'en va
## Le coup de poing

Cela s'est passé à Ranchi. Le *sitting* de cette élève s'arrêtait à neuf heures. Il était neuf heures et quart voire un peu plus et le *sitting* de cette élève se prolongeait. Je monte à l'étage où était Svâmiji et je me mets sur la véranda pour attendre mon tour. Svâmiji qui, pour une fois, était juste derrière cette véranda m'aperçoit. Il me fait patienter encore cinq minutes et me fait entrer alors que l'autre élève était encore en train de parler, ce qui n'arrivait jamais.

Il me dit : « Ah, Olivier ! vous allez donner votre point de vue. Que diriez-vous dans telle situation.» Et Svâmiji m'explique alors de quoi il retourne.

Je réponds qu'il m'apparaît que la réponse est très simple, et j'explique mon point de vue.

J'étais à mes explications et Svâmiji me dit : « Oui, *very nice, very nice* (c'est ça, oui), mais regardez, votre amie, elle... (et il s'adresse donc à cette autre personne) pense différemment. » A ce moment-là, ladite personne se lève, quitte la pièce et met fin à son entretien sans saluer Svâmiji comme nous le faisions tous avant de prendre congé de lui.

Naturellement, je n'ai rien dit et mon *sitting* a commencé avec ce qui m'amenait vers Svâmiji. Mais cela m'est apparu comme un bon exemple extérieur au mien. J'avais fait la même chose, ou presque, un peu plus tôt, sans me reprocher ma sottise.

Derrière ce rejet se cachaient pour elle des quantités de choses primordiales qu'elle devait comprendre.

Elle avait préféré montrer à Svâmiji et à moi qu'elle n'acceptait pas qu'un autre ashrami soit mis au courant de son problème plutôt que d'être polie avec son gourou.

Sans doute, le fait que Svâmiji me fasse apparaître plus compétent qu'elle la faisait entrer dans un domaine trop douloureux, aussi a-t-elle préféré, elle qui avait tant de respect pour Svâmiji, lui manquer de respect plutôt que d'affronter cette humiliation douloureuse.

Mon histoire est presque la même. J'étais si fier de moi que j'ai qualifié Svâmiji d'incompétent et je ne l'ai pas écouté me conseiller une conduite honorable.

La similitude réside dans le fait que ni l'un ni l'autre n'avons écouté Svâmiji, elle parce qu'elle ne voulait pas souffrir d'humiliation, moi parce que je ne voulais pas cesser d'être très fier de moi.

Voici donc la triste histoire de ma fermeture aux avis de Svâmiji. Je connaissais une femme très jolie, très à mon goût, mariée et mère d'une petite fille. Ce sentiment était partagé par elle tant et si bien qu'elle avait accepté de travailler avec moi. Un jour, où elle venait chez moi, elle arrive, sans m'en parler au préalable, avec son mari. Je lui ouvre comme chaque matin, mais je n'ai eu le temps de rien, que celui-ci me sonne d'un énorme coup de poing dans la figure. Je tombe par terre, parce qu'il était très vigoureux et très en colère. Je me relève et commence à me battre avec lui.

Je ne lui ai fait aucun mal, il était plus fort que moi et le combat cessa faute de combattants. Le lendemain, j'avais un *sitting* avec Svâmiji. J'étais probablement bien tuméfié. Svâmiji me demande des nouvelles de ma santé et je lui raconte l'anecdote.

Svâmiji me dit avec un peu de sévérité : « Et vous avez l'intention d'épouser cela ? »

J'ai répondu : « Mais Svâmiji, ce n'est pas grave. C'est une petite querelle d'hommes et de femme ! »

« Mais non, mais non », me dit il, « si son mari en est à ce point de cette relation que vous entretenez, c'est elle qui doit recevoir les coups, pas vous. »

« Mais Svâmiji, non, en France, ça ne se fait pas comme ça. »

« Oh », Svâmiji me dit, « non, non, elle ne veut pas recevoir le coup qu'elle mérite et vous le fait donner à vous, non, non, et vous cherchez à épouser cela ? » (Cela voulant dire « quelqu'un qui fait cela ».)

Eh bien, je n'ai pas écouté Svâmiji et, comme il ne prenait jamais d'initiative, il arrêta son discours sur ce sujet.

Je ne l'ai pas écouté car j'étais dans le plaisir avec une femme jolie, un mari querelleur et je me prenais pour un héros de film. C'était l'inverse de l'insuccès féminin qui m'avait amené chez Svâmiji mais il était de même nature.

J'étais venu chez Svâmiji pour me libérer de la souffrance que me procurait une jeune fille et je lui cachais maintenant, pour qu'il ne m'en libère pas, les joies de ma conquête.

Imbécile que je suis de ne pas voir que le plaisir et la peine sont comme le pile et le face d'une seule pièce et que l'on ne peut supprimer l'un sans supprimer l'autre.

J'ai payé très cher, comme il se doit, ma conduite envers Svâmiji car j'ai raté ce jour-là l'occasion d'attaquer mon noyau dur, mon trait principal, par un autre chemin que celui de chercher à survivre quand j'ai très mal.

Je vais raconter maintenant une histoire plus constructive, c'est-à-dire celle où j'ai préféré parler à Svâmiji de ma relation heureuse avec une femme très jolie au risque de ne plus pouvoir l'approfondir. J'en ai été récompensé comme on le lira dans le prochain chapitre.

Si j'avais osé parler de ce coup de poing au lieu de le garder pour m'en orgueillir, Svâmiji m'aurait aidé à me conduire différemment face à cette relation, donc à mieux agir et donc à ne pas faire les erreurs que j'ai commises en agissant seul.

## La balayeuse de l'ashram

Le régisseur de l'ashram, c'est le meilleur mot qui me vienne à l'esprit bien que ce ne soit pas le plus approprié, était un certain M. Robi. C'était un hors caste qui habitait dans l'enclos des hors caste du village voisin, il venait s'occuper des récoltes de riz de l'ashram tandis que sa femme venait balayer les feuilles et surtout aider à la vaisselle quand nous étions plusieurs.

Cette femme était d'une finesse inimaginable : des traits d'une beauté exquise, petite, menue, bref la distinction personnifiée. Je la regardais évoluer et, quand elle souriait, son sourire éclairait tout son visage. Comme je vous l'ai souvent dit, mon problème principal est l'attirance quasi pathologique que j'éprouve pour un visage idyllique, souriant. Cette attirance est mon noyau dur, c'est ma cachette principale, c'est ce que je garde pour moi, que je ne partage avec personne. C'est beaucoup trop douloureux si ça tourne mal, beaucoup trop agréable si ça réussit pour que je l'explique à quiconque. C'est mon paradis ou mon enfer.

Je m'arrangeais donc pour être sur son chemin quand elle partait de l'Ashram, quand elle allait nettoyer la vaisselle dans la rivière. Elle m'appelait « dada », cela veut dire « frère ». Je l'appelais « didi », cela veut dire « sœur ». Nous nous échangions quelques mots en bengali, puisqu'elle ne parlait pas anglais.

Un jour, je me suis dit : ce n'est plus possible. Je ne suis pas venu ici pour rêver à cette jeune et ravissante personne. Je suis venu pour essayer de connaître la Liberté, la Liberté à l'égard de cet attachement justement, et je fais l'inverse.

Mon mensonge me devint intolérable et je me suis dit : « Si tu restes à l'ashram, tu en parles à Svâmiji. »

J'ai donc demandé à Svâmiji de m'entretenir avec lui d'un sujet qui me tenait à cœur et je lui ai expliqué l'attirance que j'éprouvais.

Il m'a répondu : « *Quite all right*, mais que faites-vous de mal ? Svâmiji a vu, Svâmiji vous a observé, vous ne faites rien de mal. »

« Mais, Svâmiji, je ne suis pas venu ici pour alimenter cette attirance, lui ai-je répondu. Pourquoi Svâmiji me répond que ça va ? »

« Non, Svâmiji ne vous dit pas que vous avez bien fait, Svâmiji vous dit qu'extérieurement vous ne faites aucun mal. Svâmiji vous a vu, vous vous conduisez très bien, vous êtes aimable, vous êtes attiré, vous ne vous conduisez pas mal », puis il m'a dit : *« A little flirtation is all right »*, (un petit flirt, est parfois utile).

Je n'ai pas compris. C'était si doux, je ressentais comme du miel qui aurait coulé sur une plaie et je n'ai senti aucun rejet, aucune critique de sa part. Il y avait même un accord pour ne pas rejeter ce qui était si important pour moi, pour que j'accepte de le laisser venir à moi, que j'entre en relation avec lui, que j'agisse pour voir et comprendre. Cette attirance devenait autorisée, elle devenait une source de relation où je ne disparaissais pas dans la joie extrême ou dans son opposé.

J'ai senti là que ce qui dominait jusqu'à présent ma vie devenait un objet de relation. Il n'y avait aucun mal de ma part, il y avait seulement une grande difficulté à laquelle je devais me confronter.

Cette présence active à ma vie, c'est-à-dire « entrer en relation avec ce qui est très agréable comme avec ce qui est très désagréable » au lieu d'être *« carried away by emotions »* (emporté par mes émotions) est encore la trame de mon chemin vers la Liberté, avec pour point d'orgue la dissolution de mon noyau dur.

Pour moi, l'enseignement de Svâmiji a commencé par la sortie de mon état dépressif, étape au cours de laquelle ma participation s'est bornée à être sincère, alors que la participation de Svâmiji était considérable d'attention et de prise en compte de ma souffrance. Je serais tenté de dire que Svâmiji était plus fatigué que moi à la fin de mon premier entretien. Puis tout ceci a été suivi par une vie d'homme normal consistant à me consolider devant le type d'agression qui m'anéantissait au préalable. Dans ce nouveau challenge d'homme normal il m'est apparu que ma participation personnelle s'accroissait tandis que celle de Svâmiji diminuait.

Ma participation personnelle a consisté à obtenir du monde extérieur ce dont j'avais besoin parce que cela était devenu possible. Je me suis marié, j'ai eu des enfants, je me suis enrichi, que sais-je encore.

Mais, je me suis perdu dans le « toujours plus » ne voyant pas que ce « plus » ne me calmait que momentanément et oubliant que tout du monde extérieur est impermanent.

## Boarding School pour Emmanuelle

Emmanuelle est ma fille, elle avait à l'époque cinq ans. Nous avions passé, elle, sa mère et moi, six mois auprès de Svâmiji.

Nous avions terminé ce séjour à Mossooree en descendant Svâmiji à l'hôpital de Delhi, car il avait eu une attaque cardiaque, comme je l'ai raconté précédemment.

Quand Svâmiji est sorti de l'hôpital, il est allé se reposer chez un ashrami indien habitant Delhi. Avant de quitter l'Inde, je suis allé avec la mère d'Emmanuelle saluer Svâmiji, lui dire au revoir. Ce ne fut pas un entretien privé comme c'était le cas d'ordinaire, mais un au revoir collectif à deux. Svâmiji était encore très faible mais il nous a cependant reçu un certain temps. Quand cet entretien fut terminé, nous n'avions pas encore salué Svâmiji mais nous étions sur le point de le faire. J'ai alors demandé à Svâmiji : « Puis-je poser à Svâmiji une question d'un autre ordre ? cette question concerne notre fille Emmanuelle : que doit-on faire pour elle ? »

« Ah, oui, dit Svâmiji, oui, *you should put her in a boarding school* (vous devriez la mettre en pension). » Je n'ai pas le souvenir de moments difficiles avec Svâmiji, mais là, j'étais interdit. Nous avions passé six mois à Mossooree, je n'avais pas posé cette question primordiale car je me trouvais bon père. A la fin de ces six mois, la dernière phrase de Svâmiji a concerné mon incapacité à être père et l'incapacité de la mère d'Emmanuelle à être mère.

Il m'avait déjà, en réponse à certaines de mes questions, fait des remarques concernant l'amour intense que j'avais pour ma fille et le besoin qu'elle avait de jouer avec nous.

Ainsi, c'est par le quotidien avec Svâmiji que j'ai appris que je n'étais pas un bon père. Svâmiji n'a pas pris l'initiative de me montrer ma défaillance, il a fallu que je lui pose la question et je la lui ai posée parce ce que j'avais vécu près de lui avec ma fille pendant quelque six mois.

Cet événement m'a montré combien j'écoutais mal Svâmiji et combien je ne lui posais par certaines questions importantes de ma vie comme par exemple celles relatives à l'éducation de ma fille.

Il m'a montré également que c'est par le quotidien avec son maître que l'on est amené à lui poser des questions inhabituelles et pourtant primordiales.

Il m'est apparu que mon Ego s'est un peu dissous après cet événement. Svâmiji disait souvent « un mari c'est plus "vaste" qu'un célibataire et un père plus "vaste" qu'un mari ». Je n'avais donc pas la "vastitude" d'être père, c'était à moi dorénavant de l'acquérir.

## Croire en Dieu

Lorsque j'avais montré la lettre de ma mère à Svâmiji, j'avais ajouté « ma mère est très croyante ». Svâmiji m'a alors répondu : *« To believe in God sounds beautiful »* (croire en Dieu, ça fait bien).

De cette expérience, je ne voudrais pas, comme à l'accoutumée, dire ce que j'en ai compris et comment je l'ai ressentie mais je voudrais expliquer ce que j'ai compris de la relation entre l'enseignement de Svâmiji et celui des religions.

Je me souviens que Svâmiji rapprochait ce qu'il enseignait de l'enseignement du Bouddha, voire de celui de Socrate, et pour ma part je dirai que Svâmiji était relié à l'univers comme l'est la religion mais que la différence avec l'enseignement protestant que j'avais reçu était fondamentale.

Svâmiji ne nous inclinait pas à prier Dieu pour lui demander de l'aide, là réside la différence principale, mais il était sans cesse « relié » au sens le plus religieux et le plus banal du terme. Par exemple, il citait souvent un ouvrage de Chiro sur la numérologie (relation entre un caractère et le numéro du nom d'une personne) dont il avait remarqué maintes fois la cohérence, il m'a également dit, par exemple, que l'astrologie pouvait être intéressante à la condition très rare que l'astrologue soit un homme libéré de ses émotions et de ses ambitions.

Enfin et surtout, tous les soirs, il restait une heure ou deux après son repas assis dans la pénombre dans une parfaite immobilité, comme en prière ou en méditation. Nous étions admis à le saluer avant qu'il ne se couche. La paix immense qui se dégageait alors de sa pièce était d'un goût exquis et Svâmiji invoquait la bénédiction (je dirai divine) sur nous par ce mot répété trois fois très lentement : *Sat, Sat, Sat* (*Sat* est un mot sanscrit qui signifie vérité).

Je n'ai ressenti de piété semblable qu'au cours des méditations collectives avec madame de Salzmann ou en me recueillant dans les chapelles romanes de France.

Plus subtilement, j'ai compris auprès de Svâmiji que tout individu a en lui un JE qui est parfait et qui n'est rien d'autre que l'Ultime de la spiritualité. Donc Svâmiji enseignait l'acquisition de ce JE qui n'a plus besoin de Dieu puisqu'il est déjà l'Ultime.

Plus simplement, je dirai qu'il faut pouvoir être Libre pour appliquer les règles du chrétien ou du musulman ou du juif. Svâmiji enseignait donc la capacité à respecter les commandements de la Bible, du Coran ou de la Thora.

Faire apparaître ce JE « est le début, le milieu et la fin de la spiritualité ». Cette phrase de Svâmiji (voir sa lettre page 35) montre aisément la distance importante entre son enseignement et celui du christianisme des Églises.

Au risque de choquer, je dirai que cela m'a profondément convaincu que ce qu'enseignait Svâmiji était la Vérité, comme devait l'être l'enseignement du Bouddha, de Socrate, d'Epictète ou du Christ. Que croire en Dieu relevait du niveau de l'Impermanent, du niveau de l'homme ordinaire et que cela pouvait même tourner le dos à la Vérité. L'intellectualisme des théologiens (c'est-à-dire qu'ils parlent avec leur pensée et non avec leur chair) n'est qu'une malice de leur esprit pour fuir cette Vérité. C'est plus facile de se dire croyant, d'aller à la mosquée, à la synagogue, à l'église, au temple que de se libérer de la peur des rats, de celle de la pauvreté, de celle de la maladie ou de la mort ou, a contrario, que de se libérer de l'attrait excessif de la réussite sociale ou amoureuse.

Svâmiji ne faisait pas de prosélytisme et si les chrétiens, les juifs, les musulmans croyants sont satisfaits de leur choix, ils sont parfaits. Parfaits relativement, si cela n'est pas un état durable mais parfaits néanmoins.

Si l'un d'entre eux est insatisfait, il peut emprunter la voie du « Connais-toi toi-même », qui permet de passer de la perfection relative à la perfection absolue, car le JE est permanent. Je n'ai vérifié cette permanence du JE qu'auprès de Svâmiji et les anecdotes de ce livre sont là pour raconter comment j'en ai été convaincu (récit de la porte, de la cuillère, du billet de train, etc.).

Mais ce débat théologique est un peu hors sujet (il est une explication subjective que je donne et non ce que j'ai vu ou entendu auprès de Svâmiji) et je l'abandonne vite en revenant à une anecdote et en disant que je comprendrai très bien que d'autres élèves de Svâmiji que moi aient une explication opposée à la mienne.

Un jour, Svâmiji m'a raconté qu'un gourou très respecté en Inde, ayant des milliers de disciples, était venu le voir et lui avait dit :

« Svâmiji, j'ai un très grand nombre de disciples qui me prennent pour un grand sage, mais moi je sais que je suis un homme qui a peur, j'ai peur tout le temps. »

Après un entretien prolongé, Svâmiji lui dit : « C'est clair, vous n'êtes pas satisfait de l'état de perfection où vous êtes arrivé, voulez-vous savoir pourquoi ? »

« Oui », lui répondit le gourou peureux.

« Voici, lui dit Svâmiji, il s'est passé quelque chose dans votre vie que vous avez besoin de connaître pour vous en libérer : *you are today a child of two* (vous êtes aujourd'hui un enfant de deux ans). »

Pour moi, cette anecdote exprime à la perfection comment Svâmiji apprenait à chacun à se libérer des entraves qui empêchent le JE de prendre sa place dans notre vie, qui empêche un homme d'être Dieu fait chair.

Je souscris à l'idée qu'un être humain inscrit dans l'Impermanent, dans la dualité, puisse croire en Dieu, je dirai même que c'est le meilleur début du chemin vers la sagesse. Mais qu'un homme Libre ne le peut pas, tout simplement parce qu'il est lui-même l'Ultime.

Cette idée est insoutenable en Occident au XX$^{e}$ siècle, je l'entends fort bien, elle doit même l'être en Inde pour un grand nombre de personnes. On n'a heureusement aucun besoin d'y souscrire si on est pas un de ses élèves pour apprécier le bien-fondé de ce que Svâmiji exprimait par son comportement quotidien.

## Le mendiant de Burdwan

A quatre ou cinq kilomètres de l'ashram de Channa se trouve la petite ville de Burdwan.

J'y étais allé m'y promener une après-midi et j'avais vu au marché de cette petite ville un homme couché dans la poussière, se tordant de douleurs, pleurant et se plaignant. Sa petite fille qui était à côté de lui lui disait en bengali « mais non, papa, mais non, papa, non papa, ne pleure pas, ne pleure pas ». Elle essayait de consoler son père qui pleurait et, en même temps, celui-ci mendiait.

La vue de cet homme si faible, demandant de l'aide à sa fille, et de sa fille pleurant pour que son père cesse de se plaindre était pour moi impossible à supporter. J'ai donné des pièces à ces gens et je suis rentré à l'ashram, le cœur lourd. Le lendemain, j'ai demandé un préalable à Svâmiji, comme souvent, et je lui ai raconté cette histoire. Svâmiji m'a dit alors :

« Très bien, oui, oui, c'est ce que vous avez vu mais êtes-vous sûr que vous avez bien vu ? »

« Oui, j'ai vu cette fille pleurer, j'ai entendu son père geindre », lui répondis-je.

« Ah, peut-être était-ce autre chose, cet homme

n'était peut-être pas malade ? Peut-être que cet enfant jouait la comédie ? Peut-être est-ce vrai, mais parce que vous avez été bouleversé, il faut vérifier avant de partir. Voilà ce que Svâmiji vous propose : demain, vous repartirez là-bas pour voir. »

Donc le lendemain, je repars à Burdwan pour vérifier si ce mendiant était toujours là et essayer de voir différemment ce que j'avais vu. Je vais donc au même endroit que l'avant-veille et je ne l'aperçois pas. Je me dis « bon, c'est qu'il est parti, c'était avant-hier et maintenant ça doit aller mieux », mais je me promène quand même dans le marché et, à ce moment-là, je vois à un autre endroit le même monsieur, la même petite fille et le même numéro de larmes, de lamentations et de mendicité. Dans un éclair, j'ai vu que tout n'était qu'un spectacle. J'ai regardé le spectacle, je l'ai trouvé bon, je l'ai trouvé attendrissant, je l'ai trouvé propre à susciter des dons, j'ai vu que la sébille dans laquelle le public mettait les pièces de monnaie n'était pas vide, tant s'en fallait. J'ai bien regardé, j'ai observé le subterfuge et surtout ma propre émotion. Je voulais savoir si elle était encore vivace, j'ai senti qu'elle ne l'était plus. J'ai redonné des pièces et je suis parti.

J'ai rapporté à Svâmiji cette seconde visite et il m'a dit alors : « Prenez conscience de l'importance de voir sans préjugé. »

## L'argent sur le lit

C'était à Mossooree en pleine après-midi.

Mamy était dans sa cuisine et, me voyant passer, me demande de monter chez Svâmiji pour voir s'il n'avait pas besoin de telle ou de telle chose (j'ai oublié ce que c'était). Je monte donc le voir, ce que nous ne faisions jamais. On ne dérangeait jamais Svâmiji en dehors des heures prévues. J'entre dans sa chambre qui n'était jamais fermée et je vois Svâmiji, debout devant son lit, qui étalait dessus tout l'argent de l'ashram.

Il y avait beaucoup de billets parce qu'il ne les déposait pas à la banque.

Svâmiji me voit, alors qu'il tenait dans les mains une liasse de billets de cent roupies. C'était beaucoup d'argent (nous devions, à mon avis, dépenser cinquante roupies par jour). Svâmiji me sourit et lâche sa liasse sur le lit.

Je dis à Svâmiji : « Je reviens dans cinq minutes, Svâmiji fait quelque chose, je ne veux pas le déranger. »

Mais Svâmiji me dit : « C'est très bien, qu'y a-t-il ? »

« Mamy m'a demandé de voir si Svâmiji avait besoin de telle et telle chose. »

« Non, non, ça va », me répondit-il.

Svâmiji était là debout devant moi, l'argent traînait

sur le lit. Quelqu'un aurait pu entrer, ça n'avait aucune importance, rien n'avait d'importance, sauf moi puisque j'étais là, que j'étais venu le voir, Svâmiji était donc avec moi. La conversation a duré quatre, cinq minutes comme s'il n'y avait rien sur le lit.

J'ai vu qu'il n'avait aucune peur d'être volé, aucune peur que le vent emporte les billets et surtout aucun asservissement à la tâche qu'il accomplissait. Je l'ai envié.

J'ai donc essayé par la suite d'appliquer cette disponibilité. J'ai essayé d'être moins absorbé par ce que je faisais, d'accepter le téléphone qui sonne quand je suis en train d'écrire mon livre d'économie annuel, de ne jamais faire attendre quelqu'un venant me rendre visite au motif que je suis occupé.

Je connaissais trop bien l'état d'être noyé dans ma tâche. Grâce à cette visite impromptue à Svâmiji, j'ai pu voir ma dépendance à l'égard de mes occupations et j'ai vu alors qu'elle ne me correspondait pas. Ce faisant elles sont devenues moins oppressantes. Je connais beaucoup moins les explosions d'étouffement devant l'ampleur et la diversité des choses urgentes à faire. Je suis plus indépendant. C'est bien agréable et plus vaste car le fait de ne pas être disponible est réducteur, il justifie l'EGO au lieu de le dissoudre. Ce n'est pas une expérience très vaste de liberté mais j'ai toujours compris auprès de Svâmiji qu'il valait beaucoup mieux ce genre de petites victoires que rien du tout notamment parce qu'elle donnait un avant goût de la Liberté. Svâmiji avait toujours une moue dubitative à l'endroit de ceux qui recherchaient l'Absolu dans un éclair grâce à l'immensité de leur gourou. Il m'a souvent dit qu'il valait mieux prendre l'escalier marche par marche qu'espérer qu'un ascenseur m'amène d'un seul coup au sommet.

## L'infirme

A Ranchi, donc à l'ashram d'été, il y avait ce qu'on appelle un *adivasi*, c'est-à-dire un aborigène. Cet homme s'appelait Budwa, ce qui veut dire « mercredi » puisqu'il était né un mercredi. Il avait un travail assez difficile de jardinier car il devait puiser sans cesse de l'eau dans un puits profond pour arroser les fleurs et les légumes. Budwa avait, comme caractéristique physique, une jambe atrophiée. Il ne pouvait marcher que sur la pointe du pied de sa jambe malade, sans chaussure naturellement et en boîtant très fortement.

Un jour, j'ai donc dit à Svâmiji : « Mais, c'est un travail pénible pour un homme si endommagé physiquement. »

Svâmiji m'a répondu : « Il ne sait pas qu'il est infirme, il ne le sait pas. »

Je lui dis : « Il le voit bien. »

« Oh, non, non, non, vous voulez que Svâmiji traduise pour vous, vous voulez lui poser la question ? »

« Oh non, si Svâmiji me le dit, je le crois, dans ce domaine, je veux bien ne pas vérifier. »

Encore une fois j'avais projeté en voyant la souffrance là où elle n'était pas.

Cette histoire m'a montré combien il est important et

difficile de comprendre autrui. Je n'arrivais même pas à comprendre que Budwa ne souffrait pas, comment puis-je donc juger quiconque et comment puis-je savoir si quelqu'un ne souffre pas de ma conduite ?

De ce jour j'ai vu que ma façon d'être que je jugeais neutre était sans doute pour un autre une cause de souffrance.

Je me suis vu bourreau alors que je me croyais ange puis-je dire en exagérant dans la forme mais non dans le fond.

Corollairement je vois maintenant chez les fanfarons, les enfants gâtés ou toute autre personne à comportement agressif des infirmes qui, comme Budwa, ignorent leurs infirmités.

## La piqûre

Dans le même ordre d'idée, j'avais une phobie des piqûres, que ce soit dans le fessier ou que ce soit dans la veine. Cela faisait un bon moment que Svâmiji me disait « ah, les piqûres, oui, oui ».

Un jour où je lui parlais de ma phobie des injections, il me dit : « Vous voulez faire un essai avec Svâmiji ? »

« Oui, oui, oui, volontiers, j'ai un peu peur mais je veux bien. »

« Soulevez votre manche, montrez votre veine. » Svâmiji a pris son doigt et l'a approché de mon bras.

« Ah ! » dis-je.

« Svâmiji continue-t-il ? »

« Oui, oui », répondis-je.

Il s'est approché cette fois un peu plus rapidement et je me mis à sursauter en aspirant violemment de l'air. Svâmiji me dit : « Qu'est-ce qui s'est passé ? »

J'ai répondu : « Eh bien, rien, j'ai eu peur, voilà tout, Svâmiji ne m'a même pas touché. »

« Et vous croyez que celui qui a eu peur, c'est l'Olivier qui est en face de Svâmiji, qui est là ? Et vous croyez que le doigt de Svâmiji est une aiguille ? Non, qu'est-ce qui a fait peur à Olivier ? C'est l'aiguille dans le bras d'Olivier, est-ce qu'elle était là l'aiguille ? Non, voyez, voyez, vous avez vu autre chose que ce qui est. »

« Oui, Svâmiji, j'ai vu autre chose que ce qui était », dis-je d'une voix étouffée.

Je suis resté cinq minutes tranquille après cette petite expérience et j'ai demandé à Svâmiji de la recommencer car il me semblait que j'avais vu combien c'était mon imagination qui avait créé la souffrance.

Je peux dire que depuis lors je n'ai plus autant peur des piqûres. Je ne suis pas un grand courageux devant elles, mais on peut m'en faire des quantités, ce n'est plus grave du tout. C'est une petite victoire contre la peur, donc une victoire pour ma Liberté.

Pour vérifier ma guérison j'ai fait une expérience. Le jour où j'ai fini d'écrire ce livre, il s'est avéré que mon médecin m'a ordonné un examen de mon taux de cholestérol. Et bien j'ai regardé pour la première fois de ma vie l'aiguille plongée dans ma veine lors de cette prise de sang.

Faible victoire, minuscule leçon me dira-t-on, mais elle est mienne, c'est ainsi que je gravis les marches et pas autrement. Si j'abandonne le langage de l'humilité, je dirai alors que, selon moi, la *sadhana* (la voie vers la sagesse) passe par ces petites victoires, même si elles ne suffisent pas, tandis que l'attente de l'Ultime par le seul *darshan* du gourou est pour moi illusoire.

## S'incliner devant Svâmiji

Nous avions coutume à la fin ou au début de chaque *sitting*, ou encore le soir, de nous incliner devant Svâmiji, comme le font les Indiens. On se mettait à genoux, les mains devant nous et notre tête touchant le sol. Un jour, nous étions plusieurs à la cuisine, Svâmiji est passé et l'un d'entre nous l'a salué en s'inclinant devant lui. Svâmiji nous a demandé : « Mais pourquoi faites-vous ça ? »

Celui qui l'avait ainsi salué dit : « Parce que Svâmiji est un homme sage et je m'incline devant lui parce que je respecte la sagesse de Svâmiji. »

Un autre a dit quelque chose d'à peu près semblable et à ce moment-là, il m'a demandé : « Et vous Olivier ? »

« Mais moi, lui ai-je dit, je ne m'incline pas du tout devant Svâmiji. Svâmiji, pour l'instant, m'a toujours montré l'exemple de la Vérité, il est la Vérité faite chair et je m'incline devant la Vérité mais pas du tout devant Svâmiji. »

« Olivier a raison, s'incliner devant la Vérité a un sens, s'incliner devant Svâmiji n'en a pas. »

Pour moi, l'important était que je devais toujours être l'acteur de ma vie, je devais être le *« doer »*. Il n'était pas question de m'incliner devant quelqu'un, il était question de vérifier que Svâmiji était la Vérité faite chair, et de m'incliner alors devant lui pour m'aider, en soumettant symboliquement mon corps, à ce que mon esprit se soumette à son tour à la Vérité.

Donc s'incliner devant Svâmiji signifiait pour moi qu'il était la vérité incarnée et que je pouvais le suivre en tout. Si je n'étais plus convaincu qu'il était un *« sat guru »* je ne pouvais plus le saluer en m'inclinant et à contrario je m'interdisais de lui cacher quoi que ce soit de moi comme je l'avais fait dans l'histoire du coup de poing.

Cette vérification par mes soins que je pouvais m'incliner devant Svâmiji a pris une forme étrange quand nous l'avons emmené visiter Notre Dame lors de son séjour à Paris.

J'étais très intéressé par son point de vue sur cette architecture que je qualifiais « d'art objectif » par opposition à celui « subjectif » où le créateur signe son œuvre et cherche à se singulariser. Les églises anciennes sont les seuls lieux qui m'imposent la sérénité et j'espérais que Svâmiji allait abonder dans mon sens.

Svâmiji est entré trois minutes dans Notre Dame et en est ressorti. Il a dit « Oui tout est différent tandis que dans l'architecture moderne tout est semblable ». J'ai essayé de reprendre le sujet mais Svâmiji a refait la même réponse.

Je me suis posé des tas de questions concernant son manque d'intérêt évident pour Notre Dame.

Je n'ai été pacifié que lorsque j'ai vu que Svâmiji n'était en rien impliqué dans l'art objectif ou subjectif, qu'il n'avait pas d'idées à débattre avec nous, qu'il enseignait à nous libérer de nos valeurs apprises. Ce fut néanmoins un peu difficile car je me ressource en visitant et en me recueillant dans une chapelle gothique et surtout romane et j'y vois là une grande vérité.

Je ne manque jamais, quand je vais à Londres, d'aller voir à la National Gallery le tableau, que j'appelle blanc et bleu clair, du Christ de Piero de la Francesca que m'a indiqué un ami peintre. Ce tableau me pacifie.

Je ressens comme juste que si l'artiste disparaît, une grandeur de l'œuvre apparaît et j'ai cru longtemps que c'était une voie vers la sérénité, donc vers la Liberté.

Sûrement pour un peintre, pour un sportif ou pour quiconque dans son action quotidienne, il existe des moments où l'EGO disparaît un peu et ces moments ont pour eux la saveur du Vrai.

Mais, pour Svâmiji, il m'est apparu que c'était une voie trop molle vers la sagesse et qu'il nous indiquait une exigence plus grande. Bref que le sentiment d'unité avec la création, que ce soit celle de l'homme d'affaires, du skieur, du chercheur, du peintre ou du visiteur d'une cathédrale était d'une qualité trop médiocre pour qu'il y passe plus de trois minutes.

Ne sentant aucun rejet de «Notre Dame » chez Svâmiji mais voyant qu'elle ne concernait que très modérément ce que j'avais à faire avec lui, je fus alors totalement pacifié.

## Amorphous crowd

Nous avions demandé à Svâmiji, lors de son séjour à Bourg-la-Reine, si on pouvait à plusieurs, lui poser des questions d'ordre général sur la compréhension de la vie. Svâmiji avait dit « oui, si vous voulez ». Nous sommes montés dans sa chambre, nous étions, je crois, cinq, nous posions des questions et écoutions ses réponses. L'un demandait s'il y avait beaucoup de gourous libres en Inde, l'autre si Svâmiji ne comptait pas écrire un livre, un troisième demandait comment intéresser l'Eglise chrétienne à l'enseignement de Svâmiji, un autre la différence entre le bouddhisme et l'hindouisme, un autre encore voulait savoir si Gandhi avait été un gourou. Cela n'a pas été intéressant, non du point de vue des questions mais du point de vue des réponses obtenues. En revanche ce qui m'a intéressé, c'est que le lendemain Svâmiji m'a dit : « Quel intérêt y a-t-il à ce que Svâmiji s'adresse à une *amorphous crowd* (à une foule amorphe) ? »

En réfléchissant à cet échec de notre « conversation intéressante avec Svâmiji », phrase mise à dessein entre guillemets par moi, j'ai compris tout le mal que pouvait faire ce type de question sur la voie de la sagesse. Certes, j'ai vérifié souvent le bien fondé d'une petite victoire sur l'EGO quand bien même elle n'a rien de fondamentale (arrêter de fumer, arrêter de se mettre en colère), en revanche je suis persuadé que la Liberté exige un combat sans merci contre son propre «trait principal », comme disait M. Gurdjieff, et par là même refuse les discours lénifiants ou « spirituellement léthargiques » comme le dit Chandra Svâmi dans « l'art de la réalisation ».

Pour se libérer de son attachement profond, par exemple d'être avec une femme jolie, de connaître des gens importants, de paraître cultivé, de créer une œuvre d'art. Pour se libérer de l'usage d'une drogue, de l'agrément que procure un poste de commandement dans l'armée ou dans la vie civile, il ne faut pas poser à son maître des questions amorphes.

Il faut lui poser des questions sur son attachement à toutes les manifestations de la vie phénoménale : plaisir, peur, désir, agrément d'être avec lui... Seules ces questions qui font mal permettent de se libérer de la fâcheuse propension à annoncer des idées valorisantes telles que celles sur la décadence du monde moderne ou sur l'équivalence en bout de piste de toutes les religions du monde, de se libérer des auto-compliments que nous nous faisons trop souvent : j'ai reçu la Légion d'honneur, tel directeur de galerie a été subjugué par ma peinture, le public a adoré ma pièce, nous à IBM, chez Peugeot ou chez Hachette, ils sont snobs et superficiels...

Il m'est apparu que Svâmiji ne pouvait en rien conforter notre habileté à nous congratuler dans la vie. Il était, comme on me le disait du Christ dans mon enfance, venu apporter « l'épée et non la paix ». Il était là pour nous montrer comment nous libérer de nos attaches mais non pour nous apprendre à être plus « intéressant » ou plus « profond ».

De la même façon, il n'a écrit aucun livre car il ne répondait qu'aux questions de ceux qui étaient en face de lui. Comment pourrait-il écrire un livre puisque même nous ses élèves n'étions pas pour lui des vrais disciples, ce qui signifie que nous ne pourrions pas lire avec profit son éventuel livre.

Peu de jours avant cet entretien collectif manqué, un événement inattendu est arrivé : un d'entre nous est passé à la télévision dans une émission importante, dont j'ai oublié le sujet, mais qui avait trait à la spiritualité hindoue.

Nous étions nombreux à Bourg-la-Reine devant le petit écran, et Svâmiji, à qui nous avions demandé de venir s'unir à nous, est arrivé avec dix minutes d'avance.

L'émission a commencé, elle durait une demi-heure environ mais après deux minutes d'émission, Svâmiji a souri et est monté dans sa chambre.

Ce fut très clair pour moi :

L'intérêt d'une émission de télévision sur la vie spirituelle, la conversation sur la création en peinture, la piété se dégageant de la visite de Notre Dame ou encore l'adoration du gourou, l'amour de la vie spirituelle me sont alors apparus comme des somnifères sur la voie de la sagesse.

Ces somnifères sont les béquilles des malades que nous sommes tous. Mais Svâmiji était là pour nous éveiller et non pour nous endormir, pour nous montrer ce qui EST et non pour nous laisser nous bercer par des boniments de bas étage.

Rien dans la vie phénoménale, hormis calmer le mal à l'aise, ne s'approche de la Vérité sauf la liberté que l'on acquiert par rapport à elle. Comme le disait Svâmiji « la finalité pour un peintre est de ne plus peindre ».

*L'effort spirituel peut se comparer*
*à un combat serré qui exige*
*une discipline ardue.*
Chandra Svâmi
*(L'art de la réalisation)*

*C'est qu'on ne peut pas aller auprès*
*d'un philosophe comme en passant,*
*mais seulement, selon l'expression*
*platonicienne, avec toute son âme*
Epictète
*(Le Manuel)*

## Les gants de Svâmiji

Un jour, à Bourg-la-Reine, où je restais près de Svâmiji, je lui ai demandé : « De quoi Svâmiji a besoin ? »

« De rien, me répondit-il, Svâmiji a tout ce dont il a besoin. L'air de France est bon pour son corps. »

J'insistais en disant que je cherchais un détail auquel nous n'avions pas encore pensé.

J'ai observé alors qu'il avait des chaussettes de laine mais que ses mains étaient dénudées. Je lui ai demandé : « Svâmiji n'a-t-il pas froid aux mains ? »

« Oh, me répondit-il, les mains sont froides, c'est ainsi. »

De la tête, je lui ai demandé si je pouvais toucher ses mains. Bien m'en a pris, elles étaient gelées.

Svâmiji m'a souri et a fait une petite grimace. « Ah ! lui dis-je, je vais acheter une paire de gants en laine à Svâmiji pour qu'il n'ait plus froid. »

Svâmiji a mis ses gants tous les jours par la suite.

Cette histoire me rappelle qu'à Ranchi je m'étais soucié de la santé de Svâmiji et celui-ci par deux fois m'avait répondu en m'appelant Freddy, du nom d'un ashrami médecin. Je m'étais étonné de cette erreur et j'avais demandé à Svâmiji pourquoi il ne m'appelait plus Olivier, était-il malade ?

Il m'a répondu : « Ah, oui, Svâmiji vous a appelé Freddy deux fois aujourd'hui. Non, la santé de Svâmiji n'est pas en cause mais Olivier regarde et pose à Svâmiji des questions comme le fait Freddy, alors Svâmiji vous a appelé Freddy. »

Ceci me rappelle une autre anecdote.

Je gardais la maison où vivait Svâmiji depuis quelques jours à Bourg-la-Reine, ce qui consistait entre autres à lui préparer ses repas. Un jour, j'avais dix minutes de retard par rapport à l'heure qui m'avait été indiqué et j'apporte son déjeuner à Svâmiji en lui expliquant mon retard de dix minutes et en m'en excusant. Je crois me rappeler qu'il y avait eu une coupure d'électricité ou d'eau qui m'avait retardé.

Svâmiji me répond : « Olivier a une heure dix de retard aujourd'hui et non pas dix minutes et il est en retard d'une heure chaque jour depuis trois jours. » Je réponds : « Mais je sers le déjeuner de Svâmiji à l'heure qui m'a été indiquée et je m'y tiens. L'heure est indiquée sur la feuille que l'on m'a remise. » Et je lui montre la feuille sur laquelle cette heure était inscrite, mais qui était en fait fausse car en retard d'une heure pour une raison que j'ignore.

Ces histoires se ressemblent par le fait que Svâmiji ne demandait rien pour lui. Ni des gants pour ne pas avoir les doigts très froids ni que le repas lui soit servi à l'heure prévue.

Elles montrent aussi que Svâmiji n'avait d'idée préconçue sur personne. Si je parlais comme Freddy, je devenais Freddy à ce moment-là. Svâmiji ne m'enfermait dans aucun a priori, il me laissait toute latitude pour devenir différent.

Ce sentiment d'être toujours nouveau pour lui, d'exister comme une entité en mouvement m'est apparu sans prix et me soulageait du poids insurmontable de mon enfance où je me trouvais définitivement sans valeur, ne méritant même pas un cercueil.

Je raconte cette épisode car je m'estime proche de ceux qui se sentent exclus de la vie normale et j'ajoute cette dernière petite histoire, j'oserais dire pour eux.

Un jour Svâmiji est venu voir mon appartement à Paris. Sur ma table, il y avait une photo de moi et de mon jeune frère. J'avais alors dix ans environ. Svâmiji a pris cette photo où j'avais l'air très triste et il m'a dit « Olivier a changé, mais il était comme cela quand il est venu pour la première fois à Channa, exactement la même expression. »

A mon premier séjour à Channa, j'avais quarante ans. J'ai eu donc trente années de douleur. Donc un mauvais pli, qui a duré trente ans, n'est pas définitivement pris, puisque je n'étais plus cet Olivier malade.

Cette conclusion est plus réjouissante que d'estimer ne même pas mériter un cercueil.

## Le système des castes

Ce sujet ne m'a jamais beaucoup intéressé, mais Svâmiji, un jour, m'a raconté la très jolie histoire selon laquelle, à environ 14 ans, il n'a plus jamais accordé d'intérêt à ce système social.

Son ami à l'école, qui avait le même âge que lui, était un hors caste tandis que lui était brahmane.

Le jeune Yogeshvar (Svâmiji enfant) pleurait ou plutôt geignait. Son ami (nous l'appelions Khakha, ce qui veut dire « oncle » en bengali) lui dit :

« Qu'as-tu ? »

Yogesvar lui répondit : « J'ai faim, j'ai mal parce que j'ai faim. »

« Pourquoi ne vas-tu pas dans le garde-manger », dit alors Khakha.

« Mais il n'y a rien dans le garde-manger », lui répondit Yogesvar.

« Alors, dit Khakha, tu n'as qu'à aller acheter du riz chez le marchand. »

« Mais il n'y a plus d'argent à la maison. »

Khakha dit alors : « Va à la banque chercher de l'argent. »

Yogesvar lui répondit : « Mais il n'y a pas d'argent à

la banque, mon père est mort et mon frère aîné doit nourrir toute la famille avec très peu d'argent. »

Alors Khakha lui dit : « Viens chez moi, tout de suite », et là il offrit à Yogesvar un repas copieux.

Yogesvar allait tous les jours manger chez son ami Khakha et un jour la mère de Khakha dit à Yogesvar :

« Tu sais, nous sommes hors caste et tu es brahmane. Ton frère serait très fâché que tu manges chez nous, c'est interdit pour un brahmine de manger ailleurs que chez un brahmane. Il y perd le droit à sa caste. »

Yogesvar dit alors : « Comment, mon ami, me donne à manger avec tout son cœur. Moi j'ai faim et il existe une règle qui dit que c'est mal. Une telle règle existe, est-ce possible ? Eh bien, cette règle est stupide et je ne la respecterai pas. Je ne suis plus brahmane, s'il le faut. »

Une autre fois, Svâmiji me parla de l'ashram de Ma Ananda Mayee et me dit : « La cuisine des brahmanes chez Ma Ananda Mayee est séparée de celle des non-brahmines. Pourquoi ? »

Je lui dis que j'ai entendu dire cela notamment par des Européens qui en avaient été très choqués.

Avec un sourire interrogatif et un peu ironique, Svâmiji m'a dit alors : « Où est la liberté dans cette affaire de cuisine séparée ? »

Une autre histoire de caste s'est passée à Ranchi. Svâmiji n'allait pas bien et nous avons appelé un médecin qui a prescrit une analyse d'urine qu'il ferait faire dans son propre laboratoire.

Le soir le compte rendu du laboratoire arriva et montrait que le taux d'un élément nocif était le double de ce qui était admissible. Branle-bas de combat pour Mamy qui n'aimait pas beaucoup ce médecin qu'elle trouvait vulgaire.

Svâmiji était très calme et je m'employais à calmer Mamy quand le médecin arriva en voiture et nous annonça qu'il s'était trompé, qu'il aurait dû diviser par deux le résultat qu'il avait obtenu. Donc tout allait bien et il repartit en saluant et en s'excusant.

Mamy partit dans un long discours en bengali pour dire que ce médecin n'était pas bon, elle en avait même le fou rire.

Svâmiji me dit alors : « Vous savez pourquoi Mamy rit de la sorte ? »

Mamy répondit pour moi et dit : « Oh oui, Olivier comprend, il comprend le bengali et a compris ce docteur. »

Svâmiji me dit : « Alors, Olivier, pourquoi Mamy rit-elle ? »

« Parce que ce docteur est hors caste et non brahmane. »

Svâmiji me regarda comme un père qui regarderait son enfant faire une blague et me dit en anglais : « Oui, c'est ça, vous vous rendez compte où tout cela peut mener ! »

Il m'avait souvent dit que « nous sommes prisonniers des croyances » (voir sa lettre page 35), le système des castes m'est apparu comme un excellent exemple de ces croyances imposées de l'extérieur.

## Le joli jardin d'Atmananda

Atmananda, une Autrichienne, musicienne, était une disciple de Ma Ananda Mayee, une de ses disciples les plus proches puisqu'elle portait la robe couleur safran des sannyassin, c'est-à-dire des nonnes. C'était elle qui, le jour où j'avais rencontré Ma la première fois, m'avait servi d'interprète. Nous l'aimions tous beaucoup, nous les Français de l'ashram. C'était une femme fine, très dévouée à Ma. Elle demanda, un jour si elle pouvait rencontrer Svâmiji.

Svâmiji, interrogé à ce sujet, acquiesça et elle vint le voir. C'était à Ranchi, donc pendant la période des pluies.

La conversation commença entre eux par ce propos. Atmananda demanda : « Quel est l'enseignement de Svâmiji ? »

Svâmiji répondit :

« Svâmiji n'a pas d'enseignement, Svâmiji répond aux questions qu'on lui pose pour que son interlocuteur comprenne où est sa dépendance, et où est sa Liberté », ou quelque chose d'approchant, c'est Svâmiji lui-même qui m'a narré la rencontre. Si j'ai bien compris, les questions d'Atmananda étaient pleines de références culturelles et ne débouchaient sur rien de réel.

Alors, Svâmiji lui demanda : « Qu'est-ce que vous voyez là par la fenêtre ? »

Atmananda lui répondit : « Oh, Svâmiji, je vois *a beautiful garden*, un joli jardin. »

« Non, lui dit Svâmiji, non, vous ne voyez pas ça. »

« Mais si, Svâmiji, je le vois bien. Il y a des roses, il y a des fleurs, je vois un joli jardin. »

« Non, dit Svâmiji, qu'est-ce que vous voyez ? »

« Je vois un joli jardin », fut encore la réponse.

« Non, vous ne voyez pas un joli jardin. »

« Mais, comment ? disait Atmananda, je vois un joli jardin de là où je suis assise et Svâmiji aussi voit un joli jardin. »

« Non, lui dit Svâmiji, vous voyez un jardin, joli c'est une coloration qui vient de vous. Ce que vous voyez, c'est un jardin. Joli, c'est la façon dont vous le qualifiez, les faits sont que c'est un jardin. Joli n'est pas un fait. »

Pour moi, c'est une histoire qui est d'une grande simplicité et d'une grande clarté. Je connaissais assez bien Atmananda et je connaissais beaucoup de gens qui gravitaient autour de Ma Ananda Mayee. C'était d'une grande poésie et d'une grande piété. Les disciples, les visiteurs vénéraient Ma Ananda Mayee mais il n'y avait pas cette rigueur des faits comme chez Svâmiji, il y avait de la *Bakti*, c'est-à-dire de l'amour, il y avait une atmosphère idyllique. Ce fut une leçon parce que cette femme m'impressionnait, elle était tellement généreuse de son temps, elle avait orienté sa vie vers la spiritualité et, cependant, je sentais quelque chose qui n'était pas juste en elle.

Je ne pense pas que cette histoire puisse intéresser autant les gens que ce qu'elle m'a intéressé. J'ai vu que la rigueur que me conseillait Svâmiji était une rigueur tous azimuts et qu'elle sonnait juste.

Il s'agissait de ne pas se laisser aller à ses émotions, d'exercer avec modération sa musculature, de ne pas manger au-delà de sa faim, de ne pas se livrer au plaisir sexuel avec débauche, et également de ne pas se laisser bercer par la douceur de la vie des ashrams. Tout cela pour accroître sa capacité à voir ce qui est sans coloration, à discerner une chose de l'autre (*vivaka* en sanscrit) donc à être le *doer* qui élargit son EGO.

Je dirai de plus que Svâmiji exerçait tous les jours ses yeux, sa musculature, laissait toujours une place pour la faim dans son estomac à la fin des repas, n'avait pas d'activité sexuelle depuis très longtemps, ne buvait ni thé, ni café, ni alcool, ne fumait pas, ne riait pas, n'écoutait pas de transistor ou de walk-man, ne pleurait pas, ne courait jamais.

Dans les Évangiles, dans le récit qui est fait de la résurrection de Lazare, il est dit que Jésus pleura la disparition de son ami. Ce détail de la vie de Jésus est incongru à la lueur de ce qu'était Svâmiji, comme l'est également le miracle de la résurrection.

Car Svâmiji ne pleurait jamais la mort d'un proche comme il ne trouvait pas un jardin joli ou laid.

*« Quant au sage, il ne subit aucun mal présent et ne saurait éprouver le chagrin. »*
Cicéron
*(Les Paradoxes des stoïciens)*

## La farine et le sel

Cette histoire est connue par tous ceux qui sont allés à l'ashram. Elle fait référence à Svâmiji enfant, il avait environ douze ans. Il se prénommait alors, rappelons le, Yogesvar. Il avait deux sœurs un peu plus âgées que lui, et Yogesvar avait coutume, quand il prenait son *chapati*, le pain local, d'y ajouter du sel. Un matin où il mettait du sel sur son *chapati* comme à l'ordinaire, il voit ses sœurs rire, rire, à ne plus finir et leur demande : « Mais qu'avez-vous, que se passe-t-il ? Pourquoi riez-vous comme cela ? Je ne comprends pas. » Il avait mangé un chapati puis un deuxième et elles riaient toujours. Ses sœurs lui dirent alors : « *Dada* (ça veut dire frère), ce n'est pas du sel que tu mets aujourd'hui sur ton chapati, c'est de la farine. ».

Le petit Yogesvar dit alors : « Quoi ? Ce n'est pas du sel et je ne m'en suis pas rendu compte ? » Svâmiji raconte que ce jour-là, il s'est dit : « Oh, tu ne peux pas différencier le sel de la farine et tu prends du sel tous les matins. Tu ne prendras plus de sel dorénavant sur ton *chapati.* »

Donc à douze ans, c'est ce détail qui m'avait intéressé

dans cette histoire, cet enfant n'acceptait déjà pas de faire les choses mécaniquement, automatiquement. Il n'acceptait pas d'être quelqu'un qui ne décide pas de sa vie, quelqu'un qui laisse faire les choses sans y participer.

Pour moi, c'est cela « voir » et je l'ai appliqué peu de temps après, le jour où j'ai arrêté de fumer. J'ai cherché à voir que la cigarette était mon maître, que j'étais son satellite, qu'elle dirigeait ma vie. Chaque fois que je mettais une nouvelle cigarette dans ma bouche, je cherchais à voir si j'avais ou non une indépendance par rapport à elle. Un jour, je me suis vu attaché comme un toxicomane et j'ai éteint ma cigarette. J'étais devenu le soleil et la cigarette le satellite et j'ai arrêté de fumer sans peine car je ne voulais plus fumer.

Plusieurs années après, j'ai repris l'habitude de fumer et j'ai refait une seconde fois la même expérience. C'était en écrivant ce livre puisque je racontais comment j'avais arrêté de fumer, tout en tirant sur un petit cigare. Le résultat fut identique, j'ai constaté mon esclavage et je ne l'ai plus voulu. Il n'y a aucun mérite de ma part, il n'y a eu aucune difficulté à vaincre. Je préférais être l'acteur de ma vie plutôt que le fumeur dépendant de son tabac. Merci à moi d'écrire ce livre qui m'a permis d'expérimenter la fin d'une dépendance, que j'ai interprété comme étant le petit élargissement d'un nœud qui resserrait mon EGO et donc comme un embryon de dissolution de cet EGO. J'ai compris de Svâmiji que la dissolution à l'infini de l'EGO était la fin de la dualité, était le JE.

## Le mal au ventre

Un jour, Svâmiji avait des ennuis de digestion, je crois qu'il s'agissait de constipation aiguë. Il souffrait d'insuffisance du parcours intestinal et un médecin appelé à son chevet a dit : « Il faudrait faire des lavements, mais le fâcheux des lavements, c'est qu'on s'habitue et cela crée une accoutumance. On a maintenant des méthodes moins contraignantes, à savoir des médicaments. Avec un homme de cet âge, il vaut peut-être mieux ne pas lui donner des habitudes qui pourraient le gêner. » Svâmiji ne disait rien, il écoutait le médecin qui parlait anglais. Il fut donc conseillé à Svâmiji de prendre des médicaments, ce qu'il fit naturellement.

Le lendemain, je dis à Svâmiji : « Oh, ce docteur a été très attentif à Svâmiji, il n'a pas voulu lui donner de lavements parce qu'il y a une accoutumance qui est désagréable quand il faut s'arrêter. » « Oh, *yes, yes,* Svâmiji a entendu, mais Svâmiji, pendant quinze ans de sa vie a eu un lavement tous les jours, puis un jour il a fallut l'arrêter et Svâmiji l'a arrêté. »

C'était tellement simple, il n'y avait pas d'accoutumance pour lui parce que tout était toujours nouveau.

## La Mort de Svâmiji

Quand je suis arrivé pour cette cérémonie bengalie dont j'ai parlé plus haut, j'ai interrogé une de nos ashramis indiennes qui avait assisté au départ de Svâmiji. Je lui ai donc demandé qu'elle me raconte ce qu'il avait dit. C'était en bengali, je l'ai donc retranscrit sur un papier, malheureusement ce papier m'a été volé lors de la perte de mon portefeuille mais je m'en souviens assez pour pouvoir le rapporter. Svâmiji était donc très malade et le médecin était venu le voir vers trois heures du matin.

Cette ashrami indienne a dit au docteur vers quatre heures du matin : « Touchez ses pieds, il faut faire quelque chose, ils sont froids, il faut faire quelque chose. »

Le docteur a répondu : « Mais il n'y a rien à faire, ses jambes sont déjà mortes. La vie est ailleurs car le cœur marche encore. Il y a des zones irriguées, mais les jambes ne le sont déjà plus. Très bientôt, tout sera fini sur le plan médical, pour l'instant ses jambes sont déjà mortes. »

Il était quatre heures et demie, l'heure où chaque jour Svâmiji se levait

Svâmiji a dit alors : « Quelle heure est-il ? » et on lui a répondu :

« Il est quatre heures et demie. »

Il a dit alors : « Il est quatre heures et demie, c'est l'heure de se lever. »

En bengali, « aller » ou « se lever », est le même mot. Svâmiji a prononçé la même phrase que s'il commençait sa journée et, à ce moment-là, son cœur s'est éteint et il est mort, il a quitté son corps comme on dit en Inde.

Cette histoire ressemble fort au fameux récit de Platon selon lequel Socrate, avant de boire la ciguë, a dit à un de ses disciples : « Tu penseras à rendre le coq à Untel », puis Socrate est mort.

Cette histoire ressemble également, par sa sérénité, à celle de la mort du Bouddha, celui-ci était allongé les deux jambes alignées côte à côte. Quand une de ces jambes a devancé l'autre, le disciple qui était à côté de lui a su que son maître était décédé.

On est très loin de la brutalité et du miraculeux qui entourent le récit de la passion du Christ avec son cortège de justice inique, de cruauté physique, de foi qui sauve un malfaiteur et enfin de résurrection. Il faut comprendre combien, pour un Indien, ce genre de récit peut être choquant, il s'apparente à un récit païen et non à celui de la mort d'un sage ou d'un homme Libre.

Si j'osais une explication, je dirais que Svâmiji était toujours dans le présent, notamment une minute avant sa mort et que n'attendant rien de nouveau de la vie il l'a quittée aussi simplement qu'il quittait son lit tous les matins pour commencer une nouvelle journée.

## Lettre de Svâmiji à la mort de mon fils Jean-Thomas

Jean-Thomas Cambessédès est décédé à l'âge de quelques mois. Nous avons reçu, aussitôt après le décès de notre bébé, un télégramme de Svâmiji ainsi libellé :

« *Accept inevitable blessing* », ce qui peut se traduire par « acceptez cette bénédiction inévitable », puis nous avons reçu cette lettre.

**Ashram, le 2 février 1968**

**Anémone et Olivier,**

**Votre télégramme vient juste d'arriver ici. Ainsi, l'inévitable est arrivé. Oui, Anémone et Olivier, Jean-Thomas est parti et ce départ est inacceptable pour vous et vous êtes en pleine détresse.**

**Mais tout d'abord, le fait est qu'il est parti et ce fait évident ne peut pas être modifié, annulé.**

**Mais est-ce quelque chose qui est uniquement pour vous ?**

**Non, non, si vous voyez le vaste monde, vous réaliserez qu'à ce moment précis de nombreux bébés partent et non seulement de nombreux bébés partent, mais d'autres arrivent. La loi inévitable de la**

nature est que ce qui vient s'en va. Rien ne peut rester dans la même forme. Alors vous pouvez accepter avec grâce ce fait inévitable.

Vous pouvez le faire facilement si vous réalisez qu'auparavant vous aimiez si tendrement votre enfant que vous ne pouviez pas lui causer de tourments.

Il en va de même aujourd'hui, vous ne pouvez lui procurer que des choses qui lui sont agréables. Est-ce exact ?

Alors parce qu'il est parti, le fait est qu'il est parti.

Alors, comment pouvez-vous l'appeler, l'attirer en arrière vers vous ? C'était sa destinée de partir ou encore les circonstances de la nature dans lesquelles il était placé étaient telles qu'il vous a été enlevé. Si dans ces conditions, vous le pleurez, vous ne pouvez que l'attirer vers vous dans une direction opposée à la sienne et le résultat ne sera rien d'autre que de le soumettre à deux attractions opposées. Ne sera-t-il pas malheureux ainsi ?

Alors puisqu'il est parti, dites avec votre cœur : Oui, mon fils, quand tu t'en vas, ne fais que partir, que ta destinée t'emporte.

Nous t'appellerons dorénavant, du nom de bon voyage, mon fils, bon voyage.

Bénédiction affectueuse de Svâmiji

## TABLE DES MATIÈRES

ACHEVÉ D'IMPRIMER
EN MARS 1995
PAR L'IMPRIMERIE
DE LA MANUTENTION
A MAYENNE
N° 93-95